LITERAIRE THRILLER

KRUIS

KEN BRUEN

Oorspronkelijke titel: Cross

Published by arrangement with Lennart Sane Agency AB

Omslagontwerp: Cunera Joosten
Omslagfoto: Jitka Saniova, Arcangel Images
Zetwerk: Mat-Zet BV, Soest

ISBN 978 90 7427 450 0
NUR 305

Voor meer informatie: www.verbumcrime.nl

Voor
David Zeltersman… ware 'noir'-liefhebber,
Jim Winter… schrijver van duistere schoonheid,
Gerry Hanberry… dichter uit de westerse wereld.

Kruis: oeroud martelwerktuig.
Kruis: religieus symbool
Kruis: zware last.

1

'Een kruis is alleen een kwelling als je je ervan bewust bent.'

Iers gezegde

Ze hadden wel even nodig om de knul te kruisigen. Niet dat hij het hun moeilijk maakte; hij was eerder meegaand. Nee, het probleem was de spijkers door zijn handen zien te krijgen – ze stuitten steeds op botten.

Ondertussen mompelde de knul iets.

De jongste zei, 'Roept om zijn moeder.'

Het meisje boog zich over hem heen en zei met verbaasde stem, 'Hij is aan het bidden.'

Wat had ze dan verwacht – een liedje?

De vader hief de hamer op, zei, 'Het wordt snel licht.'

En jawel, de eerste stralen gleden al over de lage heuvel, wierpen, bijna zorgzaam, lichtvlekken op de gedaante aan het kruis.

'Waarom ben jij niet dood?'

Wat moest je daarop antwoorden? Ik wilde zeggen, 'Heb heel hard mijn best gedaan, geloof me, ik wilde dood. Overleven was niet de bedoeling, echt niet.'

Malachy was sinds jaar en dag mijn aartsvijand, en zoals ook bij de beste oud-Ierse tegenstanders gebeurde, had ik ooit zijn leven gered. Hij was de meest verstokte roker die ik ooit had ontmoet en God weet dat ik er aardig wat ben tegengekomen. Hij stak kettingrokend een nieuwe op, gromde, 'Ze hebben de verkeerde klootzak neergeknald.'

Fraaie taal van een pastoor, nietwaar? Malachy had zich echter nooit aan de mij bekende kerkelijke voorschriften gehouden. Hij doelde op Cody, een jonge knul die ik als surrogaatzoon beschouwde en die kogels had opgevangen die voor mij waren bestemd. Op dit moment lag hij nog altijd in coma en de kans dat hij het zou overleven varieerde van heel klein tot werkelijk hopeloos.

Door de schietpartij was mijn manke poot, opgelopen tijdens een pak slaag met een *hurley stick*, er niet beter op geworden. Ik strompelde dus langs het kanaal en keek naar de eenden, maar zonder de waardering die ik vroeger voor hen had gevoeld. De natuur deed me niet zo veel meer. Hoorde iemand mijn naam roepen en zag pastoor Malachy, de nagel aan mijn doodskist. Was hij dankbaar toen ik hem tegen wil en dank hielp? Fuck, nee. Hij was de verslavingsgevoeligste persoon die ik ooit had ontmoet, of het nu om nicotine, taart, thee of simpelweg agressie ging, en verslavingsgevoelige personen waren mijn forte. Ik heb altijd al een keer *mijn forte* willen zeggen – het klinkt geleerd zonder dat het opschepperig wordt. In werkelijkheid was alcohol mijn forte.

Hij zag er knorrig, sjofel en pastoorachtig uit. Dat wil zeggen: geniepig. Hij begroette me met die hatelijke vraag over dood zijn en maakte bepaald een kwade indruk. Hij droeg kerkelijke kledij: een zwart pak dat glom van slijtage, een vormloze broek, schoenen die eruitzagen alsof ze al tien lange, zware jaren meegingen. Roosschilfers bedekten als een dun laagje sneeuw zijn schouders.

Ik zei, 'Ook leuk u weer te zien.' Liet een zweem van graniet in de woorden doorklinken en staarde hem onafgebroken aan. Hij mikte de peuk in het water, liet de eenden schrikken.

Ik voegde eraan toe, 'Nog steeds zo betrokken bij het milieu?'

Met een geringschattend opgetrokken lip snauwde hij, 'Is dat sarcasme? Daar hoef je bij mij niet mee aan te komen, jochie.'

De zomer was bijna ten einde. Je kon de eerste aankondiging van de bitterkoude Galwayse winter al voelen; binnenkort werden de avonden weer eerder donker en – had ik het toen maar geweten – er naderde ook een duisternis van een heel andere orde. Ik hoorde echter alleen maar de geluiden van de universiteit, slechts een kippeneindje verwijderd van waar we stonden. Galway is zo'n stad waar geluid meewaait met de bries als een zacht gefluisterd gebed dat je nooit hebt uitgesproken, gedempt maar toch aanwezig.

Ik richtte mijn aandacht weer op Malachy. We waren teruggekeerd naar onze oude vijandschap, er was niets veranderd.

Voordat ik antwoord kon geven, zei hij, 'Ik heb die jongen de laatste sacramenten toegediend, wist je dat? Het heilige oliesel. Ze dachten dat hij er was geweest.'

Ik neem aan dat dankbaarheid werd verwacht, maar ik zei, 'Is dat dan niet gewoon uw werk, zieken verplegen, stervenden troosten, dat gedoe?'

Hij nam me onderzoekend op, alsof ik hem er op een of andere manier in had laten lopen, zei, 'Je ziet er beroerd uit.'

Ik wilde vertrekken, draaide me al om, zei nog snel, 'Daar schiet ik wat mee op, zeg.'

Terwijl hij naar een nieuwe sigaret tastte, vroeg hij, 'Hebben ze de schutter te pakken gekregen?'

Goede vraag. Ni Iomaire – in het Engels: Ridge, een vrouwelijke *Guard* die Ban Gardai worden genoemd – had me verteld dat een van de verdachten, een stalker op wie ik mijn kaarten had gezet, niet langer verdacht was. Hij had op de dag van de schietpartij in Dublin gezeten. Er bleef alleen een vrouw over, Kate Clare, de zus van de vermoedelijke moordenaar van een pastoor. Ik had haar naam niet aan Ridge doorgegeven. Het lag ingewikkeld: ik had me verantwoordelijk gevoeld voor de dood van haar broer en als zij me had beschoten, wist ik verdomme niet goed wat ik daaraan wilde doen. Ze had mogelijk ook anderen vermoord. Dat zou ik wel oppakken zodra ik weer op krachten was.

Ik zei tegen Malachy, 'Nee, ze moesten de hoofdverdachte laten gaan.'

Daar nam hij geen genoegen mee. 'Degene die dat vriendje van jou heeft neergeschoten, is dus nog steeds op vrije voeten?'

Ik had geen zin dit te bespreken, al helemaal niet met hem, zei, 'U ontgaat ook niets.'

Hij veranderde plotseling van onderwerp. 'Bezoek jij je moeders graf weleens?'

Het Ierse lexicon telt vele vergrijpen, bizarre zaken die in het Verenigd Koninkrijk niet eens zouden worden opgemerkt, maar hier als bijna onvergeeflijk golden.

Helemaal boven aan de lijst staan:

- Zwijgzaamheid of terughoudendheid. Je moet goed kunnen kletsen, bij voorkeur onophoudelijk. Zinnig zijn is niet eens verplicht.

- Geen rondje geven. Je denkt misschien dat niemand het merkt, maar dat doen ze wel degelijk.
- Verwaandheid, het hoog in de bol hebben.
- Het graf van familieleden verwaarlozen.

Er zijn nog meer dingen, zoals bekakt praten, een hekel hebben aan hurling, naar de bbc kijken, maar die wegen minder zwaar. Die kun je namelijk nog rechtzetten, maar dat eerste rijtje... dan ben je echt de lul.

Ik probeerde nog, 'Wanneer je een neergeschoten knul vol gaten bezoekt, heb je niet altijd tijd om even naar een begraafplaats te gaan, ook al gaat dat er bij u misschien niet in.'

Hij wuifde het weg, zei, 'Het is een machtige schande.'

De huidige landelijke schande was dat grote ziekenhuizen toegaven zonder toestemming van de ouders lichaamsdelen van overleden kinderen te hebben verkocht. Zelfs de belastingfraude van landelijke politici vielen hierbij in het niet. De regering had gezworen dat er koppen zouden rollen – lees: er wordt een zondebok gezocht. Malachy kwam me de strot uit en ik maakte aanstalten om weg te lopen.

Hij vroeg, 'Hoe denk jij over de kruisiging?'

Ik volgde hem even niet. Was dat een of andere metafysische vraag? Ik ging voor het standaardantwoord. 'Dat beschouw ik als geloofsartikel.'

Flauw, hè?

We hadden een stuk gelopen, en al die tijd lopen bekvechten, en waren nu aanbeland bij een winkel aan het begin van het kanaal. Het begon te regenen en we doken weg onder de luifel van de winkel.

Er kwam een man naar buiten. Hij bleef staan, wees op een Niet Roken-bordje, snauwde, 'Kunnen jullie soms niet lezen?'

Malachy viel tegen hem uit, gromde, 'Kun jij je niet gewoon met je eigen zaken bemoeien? Opzouten.'

Zoals ik al zei, niet bepaald een religieuze reactie.

De man aarzelde, beende toen weg.

Malachy staarde me woedend aan, zei, 'Toen protestanten twee jaar geleden een of andere arme hoer kruisigden, zag ik daarin slechts een nieuwe variant op de straffen die paramilitairen toepassen, maar ik dacht dat het zich tot het noorden beperkte.'

Ik deed zogenaamd diepzinnig, zei, 'Niets blijft tot het noorden beperkt.'

Hij reageerde vol afkeer, liep al weg en zei, 'Je drinkt weer. Waarom dacht ik eigenlijk dat ik een zinnig gesprek met jou kon voeren?'

Ik keek hem na toen hij wrijvend over zijn hoofd verdween en een wolk roosschilfertjes in zijn spoor achterliet. Het kwam niet bij me op dat de gruweldaad waarover hij het net had, ook maar iets met mij te maken zou kunnen hebben. Allemachtig, zat ik er even goed naast.

Drank, tuurlijk, ik dronk bijna weer. Als er op je wordt geschoten, neem je in de nasleep een heleboel borrels. Logisch toch? Een ijzersterke rechtvaardiging. Ik wandelde tegenwoordig weer door mijn stad. Hoe noemde Bruce Springsteen New York ook alweer, 'My City of Ruins'? In mijn achterhoofd was de gedachte aan ontsnapping geboren, ertussenuit te knijpen, dus besloot ik mijn stad vanaf de grond te bekijken. Bodemnulpunt.

Ik liep van het kanaal naar de St. Joseph-kerk en iets verderop in die straat bevindt zich wat buurtbewoners als Klein Afrika aanduiden. Een hele wijk met winkels, flats, bedrijven die worden gerund door Nigerianen, Ugandezen, Zambianen, mensen afkomstig uit alle delen van dat gigantische werelddeel. Voor mij, een blanke, Ierse katholiek, was dat een verbijsterende verandering, kleine zwarte kindertjes speelden in de straten, trommelslagen echoden door openstaande ramen, en de vrouwen waren adembenemend. Ik zag oogverblindende omslagdoeken, sjaals, jurken in alle mogelijke kleuren en vormen. En heel aardig... als je naar hen glimlachte, beantwoordden ze dat met oprechte vriendelijkheid.

En dat ondanks de verachtelijke graffiti op de muren:

NIET-IEREN NIET WELKOM

Ierse nazi's... een schande van memorabele omvang.

Voor me liep een oude zwarte man en ik zei, 'Alles goed?'

Hij wierp me een verbaasde blik toe, maar toen klaarde zijn gezicht op en hij zei, 'Met mij gaat het hartstikke goed, man. En jij, broeder, hoe gaat het met jou?'

Ik antwoordde dat het uitstekend met me ging, en fuck, mijn hele dag was goed. Ik liep bijna glimlachend verder. Aan het begin van Dominic Street sloeg ik links af en slenterde ik naar Small Crane.

Is dat geen fantastische naam? Zo beeldend dat je jezelf wel moet afvragen... is er ook een gróte?

Nee dus.

Vervolgens bereik je de roze driehoek. Ik maak echt geen geintje. In Galway. Een homoseksueel getto. Mijn vader zou zich omdraaien in zijn graf.

Ik vind het helemaal geweldig.

Houd de stad in beweging, houd hem gemengd, een harmonieus geheel, en heel misschien stoppen we dan wel met elkaar uitroeien vanwege een zogenaamd religieus geschil van honderden jaren oud.

Dat was mij zelfs een beetje te diepzinnig en ik mompelde, 'Een beetje laat om nu nog een maatschappelijk/politiek geweten te ontplooien.'

Op de hoek zit een bar voor lesbiennes en ik had graag gezien dat mijn moeder dat had meegemaakt. Ze zou er een lucifer bij hebben gehouden en er dan een mis voor laten opdragen.

Ik versnelde mijn stap, liep nu door Quay Street, de Temple Bar van Galway, kleiner, maar niet minder onstuimig, een bastion van Engelse vrijgezellenfeesten voor vrouwen in het bijzonder en van herrie in het algemeen, al dan niet geïmporteerd. Bij het opzichtige hotel Brennan's Yard, waar de literaire intelligentsia altijd kwam borrelen, sloeg ik de hoek om.

Ik had ertegenop gezien naar mijn appartement terug te keren. Er is een nummer van Vince Gill, 'I Never Knew Lonely'. Als je alleen woont en een dierbaar iemand verliest, is er bijna niets zo deprimerend als een lege flat binnengaan en te worden bespot door stille echo's. Ik wilde brullen, 'Lieverd, ik ben thuis.'

Traag beklom ik de trap van mijn gebouw, met angst in mijn maag en de sleutels in mijn hand. Er zat een sleutelring aan die ik van Cody had gekregen, met een SherlockHolmes-poppetje eraan. Ik haalde diep adem, draaide de sleutel om. Ik was bij de slijterij geweest, had mijn trouwe steun en toeverlaat bij me.

Met een fles Jameson in de hand liep ik naar binnen en ik zocht een glas, schonk een flinke portie in, proostte, 'Welkom thuis, klootzak.'

Ongeacht wat het kost – en ik had er toch al een zware prijs voor betaald – is er niets wat kan tippen aan die eerste ogenblikken waarin alcohol je wereld verlicht. Ik deed de dop op de fles. Ik voelde dat verdomde verlangen weer oplaaien, moest proberen een zeker evenwicht te bewaren. Shit, ik had dit al duizend keer eerder meegemaakt, het lukte nooit, eindigde altijd in diepe ellende. De stilte in de kamer was oorverdovend.

Ik vertoonde dit gestoorde gedrag al een tijdje, kocht alcohol, schonk een glas in en goot het dan leeg in de wc, waarbij ik een beneveld mantra prevelde, 'Door de plee gespoeld, net als mijn leven.'

Vóór de schietpartij – wat een prachtige woorden, zet een gesprek echt helemaal op zijn kop, stukken beter dan 'waar ik op vakantie ben geweest' – was ik bezig geweest veranderingen aan te brengen, had ik me voorgenomen de dingen die ik kon aanpassen ook echt aan te passen. Was al zo ver gevorderd dat ik een heel nieuwe muziekstijl had aangeschaft, dingen waarover ik al jaren las, maar die ik nog nooit had gehoord. Had een cd gekocht van Tom Russell, zonder de serendipiteit van één nummer in het bijzonder door te hebben. Het album heette Modern Art en er stond een opname op van Bukowski's gedicht 'Crucifix In A Death Hand'.

Ik merkte dat ik het volume helemaal voluit had staan en vroeg me af of mijn gehoor me in de steek liet. Ik spoelde de whisky door de wc. Toen de alcoholaandrang eenmaal was verdwenen, nam ik mijn huis in me op. Was er ook maar één voorwerp dat een speciale betekenis had? De boeken stonden langs de muur opgesteld, met een dunne laag stof op de rug. Net als de schaduw over mijn leven was het stof langzaam gaan liggen en het zag er niet naar uit dat iemand het zou wegvegen.

2

'De dwaasheid van de mens is zó onontkoombaar, dat niet dwaas zijn zou betekenen dat men op een andere manier dwaas is.'

Pascal, *Gedachten*, 412

Het meisje neuriede zachtjes een oud Iers deuntje waarvan ze de naam niet meer wist. Het was een liedje van haar moeder en soms, als het meisje zich heel snel omdraaide, meende ze een glimp van haar moeder op te vangen, de blauwe ogen die op iets in de verte waren gericht, haar tengere gedaante, als een kleine ballerina, een vage schim in het vale licht van de wegstervende dag.

Ze had dit nooit aan iemand verteld, hield het als de allerzachtste stof om zich heen getrokken, zoals dat stuk Iers linnen waar haar moeder zo veel waarde aan had gehecht. Dat werd bij speciale gelegenheden tevoorschijn gehaald, met liefdevolle zorg behandeld en vervolgens weer opgeborgen, waarbij haar moeder met haar zangerige Ierse stem had gezegd, 'Ooit zal dit van jou zijn, *alannah*.'

Alannah – mijn kind – het eerste Ierse woord dat echt betekenis voor haar had.

Het meisje liet haar blik door de kamer glijden: het goedkope behang krulde bovenaan om, de dunne strook vloerbedekking bedekte de vloer maar nét en de ramen moesten nodig worden gezeemd. Haar moeder had dat nooit getolereerd, háár ramen zouden hebben geglansd.

Vlak bij de deur was het kruis, een zwaar, met de hand gesneden stuk, een intense kwelling afgetekend op de gelaatstrekken van Christus, de spijkers duidelijk zichtbaar in de handen en voeten. In gedachten zag ze die andere gedaante weer voor zich en het beeld bleef even hangen. Het stond in haar geheugen gebrand als een belofte die ze haar moeder had gedaan en op haar eigen manier had ze die eed vervuld. Er was nog zo veel te doen.

Toen glimlachte ze. Het mantra van haar moeder: 'Zo veel te doen.'

Toen ze een jaar of zes was, had haar moeder besloten het hele huis een flinke schoonmaakbeurt te geven. 'Van top tot teen.'

Om een of andere reden had het kind dat heel grappig gevonden en toen ze lachte, had haar moeder meegedaan, ze lachten samen, met hun armen om elkaar heen, alsof ze de loterij hadden gewonnen.

Toen het gelach wegstierf, had haar moeder haar aangekeken, gevraagd, 'Weet je wel hoe veel ik van je hou?'

En tot haar moeders grote genoegen had ze gezegd, 'Van top tot teen.'

Het meisje voelde tranen in haar ogen opwellen en stond abrupt op, ijsbeerde over de versleten vloerbedekking. Ze concentreerde zich op haar volgende taak, ervan overtuigd dat deze niet alleen zou worden volbracht, maar ook op zo'n manier dat hij het zou uitschreeuwen, net als de zwijgende Christus op het met de hand uitgesneden kruis.

Ze begon weer te neuriën, terwijl in haar hoofd de details vorm kregen.

3

'Mijn hart slaat kruiselings in mijn borst door jou.'

Ierse uitdrukking om aan te geven dat iemand heel erg is geschrokken.

In winkelcentrum Eyre Square is een buitencafé.

Eyre Square kampte nog altijd met een gigantische verbouwing en liep net als alle andere werkzaamheden twee jaar achter op schema. Op weg naar het centrum was ik heel even blijven staan bij de plek van Brown's Doorway, dat, net als het standbeeld van Padraig O'Conaire, was verwijderd. Men had toegezegd dat ze zouden worden teruggeplaatst en er waren in de hele stad misschien wel drie mensen die dat ook echt geloofden. Ooit stond er een monument ter ere van Lord Clanricarde op Eyre Square. Als een metafoor voor onze hele geschiedenis was het betaald door zijn pachters en dat – moet het nog worden gezegd? – tegen hun zin. Mijn vader had me verteld over de wilde feestelijkheden in 1922, toen het werd neergehaald, en, een leuk gegeven, nadat het aan diggelen was geslagen, hadden ze de voet gebruikt voor het standbeeld van O'Conaire.

Als je naar de andere kant van het plein kijkt, staat daar het Great Southern Hotel, hoewel het iedereen een raadsel was waar het die grootse naam aan had verdiend. Het was duur, maar ja, gold dat niet voor alles? Volgens een recente peiling was het leven in New York goedkoper. In mijn jeugd stonden er op de plek waar ik me nu bevond twee kanonnen en liep er een reling om het park. Die waren allang verdwenen.

Net als de markten.

Marktdag in Galway betekende marktdag op Eyre Square. Die begon al om een uur of vier in de ochtend. Je moest er vroeg bij zijn.

Dat was iedereen dan ook.

Runderen, schapen, varkens en paarden werden met een afwisselende mate van trots en gewiekstheid getoond. De echte winnaars waren de pubs die werden geopend om in de behoefte van de menigte te voorzien. En uiteraard kwam er ook een bank – de Bank of Ireland achter me zat nu in een enorm gebouw, ongetwijfeld opgericht in die goede oude tijd.

Er werd tegenwoordig nog altijd gehandeld op Eyre Square, maar dan ging het om drugs, vrouwen, paspoorten en, vanzelfsprekend, drank.

Ik zuchtte triest om een verlies dat me te diep raakte om in woorden te kunnen uitdrukken en draaide me om, liep langs juwelierszaak Faller's en stak de weg over naar het winkelcentrum zelf. Daalde daar de trap af, in alle betekenissen van het woord, en wandelde naar het café op de onderste verdieping.

Daar kun je zitten, wat eten en naar toeristen kijken. Geen grote aantallen dit jaar, dankzij vliegangst, terroristen, stijgende prijzen. Alle winkels hadden UITVERKOOP-borden in de etalage, een teken van wanhoop en symbool voor een economie in vrije val. Onze Keltische tijger had gebruld en hard ook, bijna acht jaar lang, en man, we hadden ons in zijn trog gewenteld. Nu kwam de keerzijde, we voedden het verdomde beest niet meer en het beest was gestorven.

Haalde een koffie verkeerd, een stuk gebak dat ik niet aanraakte en de *The Irish Independent*. We hadden het bedroevend slecht gedaan op de Olympische Spelen, misschien wel onze slechtste prestatie ooit. Onze beste atleet, Sonia O'Sullivan, was als laatste geëindigd. Als je het verschil wilt weten tussen die goeie, ouwe VS en ons... een van onze sporters kwam als elfde over de streep en wij waren opgetogen, omdat hij een persoonlijk record had gehaald. De Amerikaanse zwemmer die net zijn vierde gouden medaille had behaald, was depressief, omdat hij de prestatie van Mark Spitz niet zou evenaren. Helemaal aan het begin van de Spelen was de Ierse ploeg opgeschrikt door een dopingschandaal. De schuldige zei te hopen dat hij met de antidopingcommissie kon samenwerken zodra zijn tweejarige schorsing erop zat. En wij prezen hem. Fuck, lag het nu aan mij of werd dit land steeds maffer? Religie had ondanks haar ingrijpende invloed eeuwenlang een tegenwicht gevormd voor wanhoop. Het volk had er weinig vertrouwen meer in dat de clerus, steeds erger besmeurd door schandalen, veel meer te bieden had dan voer voor de roddelbladen. Het verklaarde waarschijnlijk ook waarom elke nieuwerwetse cult erin slaagde een schare gelovigen te vergaren in de stad. Zelfs de scientologen hadden er een kantoor. Tom Cruise kon elke dag arriveren.

Nog maar een paar jaar geleden was ik een regelmatige kerkganger geweest, meneer pastoor noemde me zelfs bij mijn voornaam, maar de onthullingen over de Magdalen Laundries maakten daar subiet een eind aan, en een zwarte leren jas die ik in Londen had gekocht, was tijdens de kerkdienst gejat en ik durf het niet te zweren, maar volgens mij zag ik een pastoor in een lopen die er verdacht veel op leek.

De kranten schreeuwden iets over een kruisiging, maar dat sloeg ik over en ik ging verder met het alledaagsere spul. Ik dronk mijn koffie, las over de rellen in de Black Box, een gelegenheid aan Dyke Road – een lesbische voorstelling had de bewoners in woede doen uitbarsten. Iets verderop, in Bohermore, had een winkel waar seksspullen werden verkocht vanwege demonstranten de deuren moeten sluiten. De eigenaar spotte, 'Ze dachten dat we in de winkel seks hadden.' Hij voegde eraan toe dat het succes van zijn nieuwe pand in het stadscentrum door de enorme publiciteit was verzekerd.

Ik wilde mijn sigaretten pakken, bedacht toen dat ik niet meer rookte. En zelfs als ik dat wel had gedaan, je mocht hier toch niet roken. Tegen alle verwachtingen in hielden de Ieren zich zonder morren aan de nieuwe wet. Waren we ons lef kwijt?

Nou en of.

Ik legde de krant weg. Er zat een jonge man met lang, vettig haar tegenover me. Hij had een blikje Red Bull. Er waren geen echte uiterlijke overeenkomsten met Cody, maar hij deed me toch aan hem denken en die pijn was net zo bitter als de zwarte koffie die ik beter had kunnen bestellen.

Hij deed me ook denken aan Joey Ramone. Hij dronk slurpend uit het blikje en dan bedoel ik ook echt *slurpend* – op zich al een bijzonder irritant geluid, maar met een slecht humeur praktisch ondraaglijk. Ik wilde een hand uitsteken, hem een klap in zijn gezicht geven, krijsen *gedraag je een beetje!* Hield me in, dronk mijn koffie verkeerd op en overwoog een dubbele espresso. De knul staarde me aan. Lag het aan mij of grijnsde hij meesmuilend?

Ik staarde terug, vroeg, 'Ken ik jou?' Liet er een vleugje ergernis in doorklinken.

Hij dronk het blikje leeg, drukte het in elkaar, vervormde het, streek lange plukken haar uit zijn ogen, antwoordde, 'Sorry, meneer, ik was in gedachten mijlenver weg.'

De arrogantie droop van dat 'meneer' af.

Een van de winkels had de radio aanstaan en ik ving Morrissey op met zijn huidige hit 'First Of The Gang To Die'. Daar kreeg ik koude rillingen van, het had iets profetisch. De knul staarde naar een litteken op mijn gezicht, opgelopen bij een stevig pak slaag door twee broers die niets moesten hebben van zigeuners.

'Is dat van een mes?'

Ik raakte de plek aan. Ik moest nog altijd wennen aan het vreemde feit dat mijn stem was veranderd nu ik was gestopt met roken, alsof ik een miljoen sigaretten had gerookt, overspoeld met bocht, niet zozeer hees als wel grondig naar de klote. Ik had bewondering voor zijn lef en zei, 'Hoe weet jij dat? Zit je in het leger?'

Niet dat ik dat ook maar één seconde geloofde. Hij was te iel.

Hij grinnikte, antwoordde, 'Nee, gewoon uit Londen.'

Hij krabde aan zijn armen. Ik herkende de methamfetaminejeuk, en toen begon hij te praten, een waterval van woorden, zijn mond niet in staat zijn gedachtestroom bij te houden. 'Luister je weleens naar The Libertines? Pete Doherty, hun zanger, is gewoon, nou ja, helemaal kapot door de drugs, en The Black Keys, "10 AM Automatic", fatback blues en ik moet wat Prodigy kopen. Dunst, die leeft een droomleven, man, en als je ooit in Londen bent, moet je Roots Manuva horen, die is zo...'

Hij zweeg, was de draad kwijt, zei toen, 'Razor rap en grappig, weet je wel?'

Hield op met praten, besefte dat hij me een minilezing had gegeven over muziek, zoals Cody ook altijd deed, zonder dat ik er ooit iets over had gezegd.

Ik schoot hem te hulp, zei, 'Hou je van muziek, jongen?'

Zijn concentratievermogen was net als dat van Cody. Het ene moment totaal op jou gefocust, en dan, bam, alles in één klap weg, alsof één gedachte, één onderwerp om zich op te concentreren, hem al te veel was. Hij stond op. 'Ik zie je wel weer.'

Hij zweeg, voegde er toen aan toe, '*Dude*.'

De film *Wayne's World* heeft heel wat op zijn geweten. Het was een van Cody's favorieten. Ik had hier niets op te zeggen – toen niet en nu niet. Ik knikte alleen maar en hij slenterde weg in die half in elkaar gedoken houding die zoveel jongeren hebben, alsof ze willen zeggen: wat kan mij dat donderen?

Een serveerster kwam de tafel afruimen. Ze hield het RedBull-blikje omhoog, was zichtbaar nijdig, wees naar mijn gebak. 'Gaat u dat nog opeten?'

Ik keek haar aan en vroeg, 'Vind jij The Prodigy goed?'

Ik had een gsm. Niet dat het ding ooit overging, maar het gaf me ergens het gevoel dat ik erbij hoorde, dus laadde ik het ding dagelijks braaf op. Droeg het als een droevig gebed overal in mijn jaszak mee naartoe.

Ging naar McSwiggan's. Er staat een boom midden in de pub, voor mij het bewijs dat het land nog steeds gevoel voor het absurde heeft.

De pub staat aan Wood Quay, op nog geen steenworp afstand van Hidden Valley, waar ik ooit kortstondig heb gewoond, met dank aan de zigeuners. Wood Quay is een van de weinige echt ouderwetse buurten in Galway. De mensen wonen daar al generaties en hebben hun huis ondanks onstuitbare projectontwikkelaars weten te behouden. Als je aan het uiteinde van Eyre Street staat, kun je het hele gebied zien, het park dat nog altijd groen is, onaangetast, waar kinderen hurling spelen en, oké, ik geef het toe, ook frisbeeën, maar toch voornamelijk hurling, en vlak daarachter ligt Lough Corrib. Er heerst gemeenschapsgevoel en ze houden elk jaar hun eigen straatfeest. Ze zijn er waanzinnig trots op dat ze de boel bij elkaar hebben weten te houden in een stad waar zulke snelle, meedogenloze veranderingen plaatsvinden.

McSwiggan's staat helemaal aan het begin van de buurt. Een vrij nieuwe pub, met op een of andere manier een beetje van de sfeer van het oude Galway. De boom staat helemaal achterin en inderdaad, ze hebben de pub eromheen gebouwd. Wat mij betreft is dat nog eens een prima voorbeeld van je prioriteiten op een rijtje hebben. Wat nog zeldzamer is, het personeel is volledig Iers. Dat zie je tegenwoordig steeds minder vaak.

Het was net na twaalven en de barman kweet zich van zijn pubtaken, een wervelwind van glazen poetsen en planken volstouwen, maar wel opgewekt.

'Hoe is het?'

Ik antwoordde dat alles goed was, bestelde een pint en een klein glas Jameson.

'IJs erin?'

Ik keek hem aan. Meende hij dat serieus?

Hij zei, 'Zonder ijs dus.'

Het rook vreemd in de pub en hij merkte dat ik het merkte, zei, 'Dat is het gebrek aan nicotine.'

Jezus, hij had nog gelijk ook.

Hij ging verder, 'Onze springruiter heeft een gouden medaille behaald.'

Ik was opgetogen. Ik weet geen moer af van paarden, maar goud, daar zou het hele land een maand lang feest door vieren.

Hij liet mijn pint even staan voordat hij het schuim er afstreek – verstond zijn vak – en zette de Jameson op de bar. 'Ik heb een kaartje voor het concert van Madonna.'

Dat was nog iets van het oude Ierland, dat ze je hun nieuws vertellen zonder dat je er ooit om vraagt. Ik rook aan de Jameson en werd meteen uitbundig.

'Je bent zeker een fan?'

Niet de slimste vraag, aangezien hij een kaartje had, maar gelukkig speelt logica niet echt een rol in dergelijke gesprekken. Hij was ontzet.

'Doe niet zo achterlijk, ik haat dat wijf.'

Het lukte me mijn drankje op tafel te laten staan, het niet op te drinken. Mensen zullen wel denken, *dement zeker, drank bestellen en het niet opdrinken?*

Ik weet echt wel hoe gek het was. Maar ik bleef in elk geval nuchter, hoewel verre van verstandig.

Ik dacht aan Cody, die in coma lag, en ook aan Kate Clare, de vrouw die de priester had vermoord en die ik verdacht van het neerschieten van Cody. Ik wist dat ik beter mijn best moest doen om haar op te sporen of wie het ook was die achter de schietpartij zat, maar ik kon me niet over Cody en zijn toestand heen zetten. Hij was de surrogaatzoon die ik nooit had verwacht te zullen hebben, maar net toen we een beetje een band kregen, toen ik hem echt als familie begon te beschouwen, was hij me ontnomen.

Een wraakzuchtige God?

Hij had het beslist op me voorzien. Telkens wanneer ik overeind dreigde te klauteren, veegde Hij verdomme de vloer met me aan. Geloofde ik in Hem? Jazeker, en het was heel persoonlijk. 's Ochtends mompelde ik altijd, 'Laat het ergste wat U kunt verzinnen over me heen komen, dan zullen we eens zien of ik het aankan.' Een loos dreigement ten overstaan van chaos, bravoure in plaats van geloof. Ik schudde mijn hoofd om God en Zijn wrok te verdrijven, stond op, vond dat het tijd werd om te gaan.

Ik liet mijn onaangeroerde glazen als eenzame vrienden achter, liep weg, zei nog tegen de barman, 'Hoop dat het een goed concert wordt.'

Hij hield op met het poetsen van het glas in zijn hand, staarde me aan, zei, 'Ik bid om regen.'

Daar hoef je in Ierland niet al te hard voor te bidden.

4

'Een gekruisigde zonder een kruis.'
Beschrijving van de heilige Pater
Pio door gelovigen.

Toen ik Cody in het begin opzocht in het ziekenhuis, werd ik op een middag aangesproken door een man. Hij had het vrome uiterlijk dat zo geliefd is bij priesters en wereldverbeteraars.

Hij zei, 'Voelen we ons al iets beter?'

Ik was niet echt een goede ziekenhuisbezoeker, niet zo'n opgewekt, stoïcijns type dat je dag opvrolijkt wanneer je hem tegenkomt. Ik was slechtgehumeurd, had pijn en verlangde naar alcohol. Ik staarde hem aan. 'Ik weet niet hoe het met jou zit, makker, en eerlijk gezegd interesseert het me ook geen zak, maar ik voel me klote.'

Hij knikte, liet zich niet uit het veld slaan door mijn agressie, keek juist alsof hij die wel had verwacht. Hij werd niet teleurgesteld. Hij boog zich naar me toe, zei, 'Boosheid is goed. Verjaag die kwalijke gevoelens uit je lijf. Houd ze niet binnen.'

We stonden in de gang voor Cody's kamer en ik moest altijd moed verzamelen om naar binnen te gaan, dus de afleiding kwam niet ongelegen. Ik liep weg, blij met het uitstel, en hij liep achter me aan, zoals ik wel had verwacht.

We kwamen aan bij wat de *long ward* wordt genoemd, een gemeenschappelijke ziekenzaal, zullen we maar zeggen. De ene rij bedden na de andere, totaal geen privacy. Ik had in een flink aantal ervan gelegen.

'Waar heb je die flauwekul geleerd? Ik bedoel, wanneer je thuis voor de buis zit, praat je dan ook zo? Jesses, alsjeblieft zeg.'

Weer een glimlach. Ik was blijkbaar een vleesgeworden droom voor hem.

Ik vroeg, 'Wie ben je eigenlijk, verdomme, afgezien van een vervelende etterbak?'

Hij maakte een beweging met zijn ogen die medeleven moest uitdrukken en – hoe luidt die modekreet ook alweer? – o ja, empathie.

Zag er daardoor onbetrouwbaar uit. Zou jij een tweedehands auto van deze vent kopen?

Nee dus.

Hij was nu op dreef, zei, 'Beschouw me maar als een vriend die niet over je zal oordelen.'

Ja, dat zou hij wel willen.

Ik zei, 'Als je mijn vriend wilt zijn, kun je iets voor me doen. Hoe klinkt dat, als een symbool van onze goede band?'

Met een lichte schaduw over zijn opgewekte gezicht vroeg hij, 'Ehm, oké, wat zou dat dan zijn?'

'Hol even naar de Riverside Inn aan de overkant van de weg voor een fles Jameson.'

Hij zuchtte, rechtte zijn rug alsof dit precies was wat hij had verwacht te zullen horen, ademde langzaam uit. 'Aha, dat is juist de crux van alles.'

Crux.

Krijgen dit soort typen tijdens hun opleiding soms een les, bijvoorbeeld op dag drie, waarin ze een boekje ontvangen met daarin alle woorden die ze kunnen gebruiken die verder niemand gebruikt, die ze gewoon kunnen laten vallen in een gesprek dat dan compleet doodslaat?

Aan het eind van de ziekenhuiszaal was ik blijven staan. Het allerlaatste bed was leeg en dat betekende slechts één ding: de patiënt was overleden. Ze reserveren dat bed voor mensen die het niet gaan redden, zodat ze hen in een mum van tijd kunnen wegvoeren zonder de andere patiënten te storen. Ik staarde naar het lege bed, met een hele horde angstgevoelens in mijn maag.

Toen ik niet reageerde, vervolgde hij, 'Alcohol heeft kennelijk een belangrijke rol gespeeld in jouw...'

Hij koos het volgende woord zoals een oude vrijster naar een doos met haar lievelingsbonbons kijkt: viel niet voor *ondergang*, hoewel hij het wel even overwoog, besloot tot het minder gevaarlijke '... tegenspoed.'

Ik vroeg, 'Wil je horen over mijn leven toen ik nuchter was, toen ik niet dronk, wil je weten wat voor succes dat was?'

Hij schoof van zijn ene voet op zijn andere, vermoedde wel dat dit niet aangenaam zou worden.

'Als jij het me wilt vertellen.'

Ik ging pal voor hem staan. Hij was beslist achteruitgedeinsd als daar niet het dodenbed had gestaan.

Ik zei, 'Jazeker, ik was nuchter, had in maanden niets gedronken, en drie keren raden wat er gebeurde? Door mij is een klein meisje gestorven. Drie jaar oud, het mooiste kind dat ik ooit had gezien, echt een dotje, goddomme, en daar zat ik dus, ik dronk niet, ik paste op haar, en zij viel zo door een raam op de bovenste verdieping naar buiten. Haar ouders, mijn beste vrienden, wat denk je dat die ervan vonden, dat ik toen nuchter was?'

Hij had geen cliché bij de hand, maar deed zijn best, 'Het leven heeft niet alleen leuke kanten en soms gebeuren er verschrikkelijke dingen. We moeten verder, zorgen dat we niet verbitterd raken.'

Ik zweeg, staarde hem aan, schreeuwde toen bijna, 'Niet alleen leuke kanten? Ongelofelijk. Als ik de ouders van het kind ooit nog eens tegenkom, zal ik dat tegen hen zeggen, ik weet zeker dat het hun verdriet zal verzachten.'

Ik was razend, moest maken dat ik daar wegkwam, had hem letterlijk in het nauw gedreven en moest nu fysiek afstand tussen ons creëren, dus ik gaf hem de ruimte en liep terug naar de balie waar de verpleegsters zaten. Hij kwam achter me aan.

Ik zei, 'Luister – luister je? – ik moet piesen. Als jij mij achternakomt, trap ik je in je kloten. Zie ik zo mijn woede onder ogen? Ben je nu tevreden?'

Met die lui is het net of je tegen een granieten muur praat. Hij keek alsof hij zijn armen wilde uitstrekken, me misschien wel wilde omhelzen, en dat zou echt heel fout zijn geweest.

Hij antwoordde voorzichtig, 'Jack, Jack, ik probeer je te helpen. Wil je dan echt steeds opnieuw dezelfde tragische keuzes blijven maken?'

Ik draaide me om naar de deur van het toilet, vroeg, 'Ken je Dudley Moore?'

Hij vermoedde een valstrik, zei voorzichtig, 'Ehm, jawel.'

Ik keek om me heen alsof ik hem in vertrouwen wilde nemen, zei,

'Dudley Moore interviewde eens zijn goede vriend Peter Cook, vroeg hem of hij had geleerd van zijn fouten, en Cook antwoordde, "Jazeker, ik kan ze bijna van begin tot eind letterlijk herhalen."'

In het toilet probeerde een man met een bungelende katheder naast zich te plassen. Hij keek me aan en zei, 'Wat een manier om als volwassen vent te eindigen.'

Daar kon ik niets tegen inbrengen.

De ontmoeting met de zeloot speelde door mijn hoofd toen ik door Shop Street slenterde. Bij mijn vertrek uit mijn flat was ik er mentaal redelijk aan toe geweest, maar deze herinnering haalde me onderuit en snel ook.

De zomer liep nu echt ten einde. Dat speciale licht, uniek voor het westen van Ierland, overspoelde de straat – het is een mengeling van helder licht, altijd begeleid door de dreiging van regen, glinstert als nat kristal, en werkt kalmerend. De voorbode van de duisternis kruipt al over de horizon en je krijgt het gevoel dat je het ervan moet nemen zolang het nog duurt.
Buiten voor Eason's boekwinkel stond een groepje christenen een rockversie te zingen van 'One Day At A Time'. Ze hadden de fris geboende gezichten van gezond levende, jonge mensen. Een meisje van tegen de twintig maakte zich los uit het groepje toen ze mijn belangstelling opmerkte, hield me een stapeltje folders voor en zei, 'Jezus houdt van je.'

Ik weet niet waarom, maar mijn sombere bui klaarde op: ik was op weg naar de pub, het licht gaf zijn laatste stralen spectaculaire helderheid af. Ze irriteerde me echter en ik snauwde, 'Hoe weet je dat?'

Ze was even van haar stuk gebracht, maar haar opleiding nam het over en ze lachte de vereiste lege glimlach terwijl ze een uitentreuren geoefende leus uitbraakte.

'Door muziek maken we het christendom beter.'

Dezelfde oude shit met een glanzend nieuw laagje. Een paar dagen eerder had ik naar *King of the Hill* gekeken, de aflevering waarin Hank het opnam tegen een clubje hippe wedergeborenen. De combinatie van hun evangelieverkondiging en tatoeages maakte hem echt razend. Ik keek het meisje tegenover me aan en gebruikte de zin waarmee Hank hen van repliek had gediend.

'Types als jullie maken het christendom niet beter, jullie maken rock-'n-roll slechter.'

Ze was niet uit het veld geslagen. Met haar wijsvingers vormde ze een kruis, zoals je dat doet om een vampier van je lijf te houden, en ze mompelde iets bezwerends. Ik liep door, met het geluid van hun gezang als een aanslag op mijn oren. Bijna direct naast Eason's staat Garavan's, een traditionele pub en nog steeds niet gemoderniseerd. Boeken en drank, buren van ons erfgoed.

De barman zag de foldertjes in mijn hand, met op de voorkant in grote rode letters JEZUS.

'Hebben ze je bekeerd?'

Ik leunde op de toog. 'Wat denk je zelf?'

Hij begon mijn pint donker bier te tappen, reikte achter zich voor een glas Jameson, zijn handelingen één vloeiende beweging, geen enkele onderbreking en des te indrukwekkender omdat ik om geen van beide had gevraagd. Hij zei, 'Het is misschien moeilijk te geloven, maar ze zijn goed voor de zaken. De mensen horen hen, denken, *allejezus, geef me alsjeblieft een borrel.*'

Ik vroeg niet hoe hij mijn vaste bestelling kende. Ik was bang dat hij het me zou vertellen.

De kleinste gebeurtenis kon soms een hele serie handelingen in gang zetten en toen ik mijn hand om het glas sloeg, zag ik het kruis voor me dat het meisje had gevormd en dacht ik ook aan de kruisiging. Ridge dook eveneens in mijn gedachten op. Op een heel bizarre manier hield ik van haar – fuck, niet dat ik dat ooit van mijn leven zou toegeven, hoor. Ze irriteerde me tot op het hoogste niveau van de hel en terug, maar wat is liefde anders dan ondanks dat alles toch blijven volhouden? Dat ze lesbisch was vergrootte het raadsel alleen maar. Ach, ik was een sukkel. En Cody, die was het slachtoffer van een of andere kille hufter. Een of andere meedogenloze slet die hem doodleuk had neergeknald. Die meid had me vervloekt en alweer een nieuwe route naar totale verwoesting voor me vrijgemaakt, maar dat was precies het soort route dat ik het vaakst volgde.

Ik nam mijn glazen mee naar de achterkamer, een klein hok dat was ontworpen om je in elk geval een zekere privacy te geven, zo niet rust. De pint Guinness was een waar kunststuk. Volmaakt geschonken, de schuimkraag een heel nauwkeurige strook room. Bijna jammer om hem niet op te drinken. Ik moest onbewust aan Malcolm Lowry's *Onder de vulkaan* denken. Had ik maar een beetje een vooruitziende blik gehad – in de laatste regels van dat angstaanjagende boek gooien ze een dode hond in het graf, boven op de dode consul. Ik zag geen verbanden en wat een ironie was dat.

Als je zo achter een pint zit, een echt cadeautje, terwijl de Jameson zijn zwarte magie loslaat op je ogen, wil je best geloven dat Irak inderdaad aan de andere kant van de wereld ligt, dat de winter niet in aantocht is, dat het licht van Galway altijd die prachtige fascinatie zal behouden en dat priesters onze beschermers zijn, en geen roofdieren. Die illusie houdt niet lang stand, maar dat ene korte ogenblik is onbetaalbaar.

Ik had geen greintje vertrouwen meer in religie, dus ging ik ter kerke bij elk altaar dat kortstondig verlichting bood. Natuurlijk werden die, net als het beste uitzicht op de hemel, aan alle kanten door de hel omgeven. Ik sprak mezelf bestraffend toe, mompelde 'En nou is het genoeg met dat diepzinnige gedoe van je, het is maar een borrel', en toen de man zijn hoofd om de hoek van de afscheidingswand stak, had ik net het glas opgeheven.

'Jack Taylor?'

Misschien had ik die keer wel echt een slok genomen. Dit was mijn Ierse variant op Russische roulette. Bij elke borrel die ik bestelde, wist ik niet van tevoren of ik hem echt naar binnen zou gieten, maar ik wist wel vrij zeker dat het binnenkort een keer zou gebeuren, en diep vanbinnen hoopte ik dat ook. Ik keek naar de man die mijn naam zo familiair had uitgesproken.

Ik kwam in de verleiding te ontkennen. Zulke vragen leidden zelden tot iets goeds. Ik deed geen enkele moeite mijn ergernis te verbergen.

'Ja?'

Hij was groot – ruim een meter tachtig – begin zestig, met een verweerd gezicht, een kaal hoofd en zenuwachtige ogen, en droeg een heel mooi pak en stevige werkschoenen. Hij zei, 'Het spijt me dat ik je stoor, maar ik ben al een paar dagen naar je op zoek.' Een lichte kregeligheid in zijn stem, alsof hij wel betere dingen te doen had dan mij zoeken.

Ik raakte de pint aan. Het voelde goed, hoewel het een beetje werd verpest door de onderbreking.

'Je hebt me dus gevonden. Wat moet je van me?' Ik klonk geïrriteerd.

Hij stak zijn hand uit. 'Ik ben Edward O'Brien.'

Ik sloeg geen acht op zijn hand, vroeg, 'Moet die naam me soms iets zeggen of zo? Luister, makker, het zegt me dus helemaal niets.'

Hij schonk me een veelbetekenend lachje. 'Ze hadden me al gewaarschuwd dat je een scherpe tong had, maar een goed hart.'

Voordat ik kon reageren op deze onzin, zei hij, 'Ik heb je hulp nodig.'

Ik vroeg, vooral om van hem af te komen, niet uit belangstelling, 'Hoezo?'

'Je moet mijn hond vinden.'

Ik lachte bijna. Daar zat ik dan, stond op het punt uit te zoeken wie een man had gekruisigd, en deze mafkees was zijn hond kwijt?

'Fuck man, dat moet een geintje zijn, iemand heeft je hier zeker toe aangezet, een of andere flauwe grap.'

Hij was zichtbaar geschokt. Met een gekwetste blik zei hij, 'Ik ben gek op dat beestje.'

Ik schudde mijn hoofd, wuifde hem weg.

Hij verdween niet, vervolgde, 'Ik ben professor aan de universiteit en vertegenwoordig de bewoners van Newcastle. Ben je ook maar enigszins *au fait* met dat gebied?'

Au fait!

Een professor nog wel, alsof ik daarvan onder de indruk zou zijn. De laatste professor die ik had ontmoet, was een schofterige moordenaar geweest. Ik schreeuwde bijna, 'Zeg, meneer de professor, ik kom uit Galway, ik weet goddomme heus wel waar dat is.'

Hij ging moeizaam verder.

'Van vijf gezinnen is nu de hond gestolen. We hoorden dat jij goed bent in het opsporen van dingen en we betalen je er uiteraard voor.'

Toen ik de geboden kans niet met beide handen aangreep, voegde hij eraan toe, 'We hebben er een flink bedrag voor over.'

De verleiding om *hi ha hondenlul* te roepen, was bijna overweldigend.

Ik zei, 'Laat het maar aan mij over, ik zal kijken wat ik kan doen.'

Hij rechtte zijn rug. 'Heel hartelijk bedankt. Dat betekent ontzettend veel voor ons.'

Hij draaide zich al om, maar ik zei, 'Ze hadden het mis, hoor, wat ze je over me hebben verteld.'

Zijn gezicht klaarde op. 'Dat je een scherpe tong hebt?'

'Nee, dat ik een goed hart had.'

5

Gekruiste degens

Eenmaal terug in mijn flat maakte ik me op voor mijn middagdutje. Ik had er een eigen ritueel voor: probeer wat eten binnen te houden, neem een halve pijnstiller/kalmeringstablet en welterusten allemaal. Trok een lang T-shirt aan met het logo THE JAMES DEANS, poetste mijn tanden en wierp een korte blik op Sky News. Misschien had de wereld zijn leven gebeterd.

Niet dus.

In New York had de Republikeinse conventie plaatsgevonden. Christopher Hitchens had geschreven dat het een spannende race zou worden en ik geloofde hem. Tsjetsjeense rebellen hadden een school bezet en dreigden driehonderd kindertjes te doden als hun strijdmakkers niet werden vrijgelaten. Een van de kleine meisjes werd in veiligheid gebracht en ik durfde te zweren dat ze sprekend op Serena May leek. Onderdeel van die hele berg schuldgevoel, wroeging, was dat ieder klein meisje me aan haar deed denken. Hoe kon het ook anders?

Ik zette het toestel snel uit, nam het medicijn in en wachtte tot het in mijn bloedbaan was opgenomen, mompelde, 'God, ik weet dat u me aan alle kanten naait en waarschijnlijk blijft dat eeuwig zo, maar hé, gun me nou even wat rust – geen dromen over het kind, want zal ik u eens wat zeggen? Anders ga ik weer drinken.'

Ja ja, God bedreigen, heel slim, alsof het Hem ook maar ene moer kan schelen. Ach, kon mij het ook verdommen.

Ik voegde er als aanvulling aan toe, 'Ik heb toch een priester geholpen, telt dat dan niet mee?'

Waarschijnlijk niet.

Een klopje op de deur.

'Fuck.'

Durfde ik het te negeren? Slaap sloop al langs de randen van mijn zenuwen. Nog meer geklop en ik zuchtte, deed open.

Ridge.

Ze droeg haar uniform, oogde ernstig, intimiderend.

Ik zei, 'Ik heb kijk- en luistergeld betaald, agent.'

Ze vond het niet grappig, maar dat vond ze mij bijna nooit. Onze relatie was vooral strijdlustig, agressief, en hoe hard we ook ons best deden, we konden ons nooit van de ander losmaken. Voordat Cody werd neergeschoten, hadden we een min of meer hartelijke fase bereikt. Zij had een relatie en het leek erop dat we een soort vriendschap zouden vormen.

Ik had haar gered van een ploerterige stalker en ik wist dat ze dat erg waardeerde, maar ze reageerde vijandig op het idee dat ze bij me in het krijt stond, en God weet dat niemand dit beter begreep dan ik. Jij helpt mij, ik heb het gevoel dat ik je iets verschuldigd ben, en tot die situatie is opgeheven, voel ik me ongemakkelijk, onrustig, en vijandig gedrag, daar ben ik goed in. De akelige waarheid, dat wisten we allebei, was dat we een band móésten hebben, een band hádden, en ergens in al die ellende waren we gewoon bang dat we elkaar zouden kwijtraken.

Is dat klote of niet? Jazeker. Of misschien is het gewoon typisch Iers.

Ik dacht vaak, *als ze nou eens niet lesbisch was, zou er dan iets tussen ons zijn*?

Als ik nou eens geen alcoholist was. Als... als... als.

Door de jaren heen hadden we elkaar vaker geholpen dan wie ook. Zodra we dan vervolgens een niveau bereikten dat dicht tegen intimiteit aanzat, zocht een van ons, of misschien wel allebei, als een haas dekking. Je hart zou ervan breken. Het mijne deed dat in elk geval wel en wat Ridge betreft, als je achter haar uiterlijk kon kijken, was haar verbrijzelde hart duidelijk van haar gezicht af te lezen.

Door de schietpartij was alles echter veranderd. Door mijn verbittering kreeg die ongrijpbare nauwe band waar we zo dicht tegenaan hadden gezeten, geen kans om te herstellen.

Ze zei beschuldigend, 'Kom je nu pas uit bed?'

Op haar gezicht zat geen spoortje make-up en ze zag er gespannen uit.

'Eigenlijk wilde ik er net in kruipen.'

Ze keek nadrukkelijk op haar horloge. 'Het is halftwee 's middags.'

Ik voelde de aandrang om de deur in haar gezicht dicht te smijten, te schreeuwen, *rot toch op*, maar merkte in plaats daarvan op, 'Kom je helemaal hier naartoe om me te vertellen hoe laat het is? Ik heb zelf een horloge, hoor.'

Ze drong langs me heen naar binnen en beende de woonkamer in.

Ik deed de deur dicht, zei, 'Dat zullen mijn buren me niet in dank afnemen, een Guard aan de deur.'

Ze keek om zich heen, maar zag niets wat haar in een beter humeur bracht, dus ik vroeg, 'Wil je iets drinken? Bier, een groot glas whisky?'

Om haar op stang te jagen.

Ze zei, 'Ik had gedacht dat grapjes over alcohol niet echt toepasselijk waren.'

We bleven zo staan, terwijl de vijandigheid om ons heen zwermde, totdat ik vroeg, 'Oké, ben je alleen maar gekomen om me te treiteren? Niet genoeg om handen in het verkeer?'

Het was alsof alle lucht uit haar wegstroomde. Ze liet zich op een stoel zakken, vroeg, 'Enig idee hoe zwaar het is om Guard te zijn?'

Ik wilde roepen, *hallo, ik was er vroeger ook een*, maar zei niets.

Ze ging verder, 'En als vrouw – een lesbische vrouw – dat vinden ze helemaal te gek. Je weet gewoon dat je op geen enkele promotielijst voorkomt. Vorig jaar hebben ze ons een rok verstrekt om ons imago te verzachten, alsof een misdadiger het verschil ziet, zijn mes laat vallen en zegt, "Sorry, had niet in de gaten dat je een rok droeg." Niet een van de vrouwen draagt dat ding. Ik heb mijn wapenstok, een werkriem met ruimte voor handboeien, een hoesje voor de radio, een gezichtsmasker voor mond-op-mondbeademing en latex handschoenen voor gezondheid en veiligheid, voor het geval je een lijk moet onderzoeken.'

Ze rilde even toen ze dit zei, vervolgde toen, 'Make-up is toegestaan, wist je dat? Zolang het maar geen knalrode lippenstift is of ordinair. Ons haar moet een bepaalde lengte hebben. Een van die trutten, de hoofdagent, meet mijn haar op, dus ging ik het in een staart dragen en toen zei ze dat die onder mijn pet moest worden weggestopt.'

Het klonk alsof ze zichzelf eigenlijk nog nooit had toegestaan de details van haar baan tegen het licht te houden en ik vroeg me af waar dit naartoe ging. Ze was nog niet klaar.

'Het is de bedoeling dat we om beurten in de surveillancewagen rijden en dat gaat altijd in tweetallen. Te voet sta je er meestal alleen voor. Weet je hoe vaak ik in de auto heb gereden?'

Ik moest iets zeggen, dus ik antwoordde, 'Niet vaak, vermoed ik.'

'Nooit. Is dat eerlijk? Ach, wat zeg ik toch. Niets is eerlijk. Ik ben vaak op het bureau. Ik haat dat, het is alsof je op kantoor zit, mensen die hun rijbewijs of paspoort kwijt zijn, of een diefstal komen melden. Het is oersaai. En dan brengen ze een zuiplap binnen, heel veel zuiplappen...'

Ze keek me onderzoekend aan. Ik viel duidelijk in die categorie.

Ik had wel willen spotten, *ach, die arme kleine Ridge toch, ze laten je niet in de grote auto rijden.*

Ik hield me echter in en ze ging verder, 'Ik vind het heerlijk om Guard te zijn, hoor, maar als ik niet snel promotie krijg, overweeg ik op te stappen.'

Haar gezicht toen ze dit zei kwam zo uit een treurspel. Slaap probeerde me te overmannen en ik wilde dat ze wegging, dus ik zei, 'Doe wat je moet doen om die promotie in de wacht te slepen.'

Ze keek me aan en ik begreep dat we bij de werkelijke reden van haar bezoek waren aanbeland.

Ze zei, 'Ik zit met een gezondheidsprobleem en ik weet niet aan wie ik het moet vertellen.'

Soms is eenvoud de enige benadering, dus ik zei, 'Vertel het me maar.'

Ze haalde diep adem.

'Er zit een knobbeltje in mijn borst. Misschien is het gewoon weefsel, maar...'

Ik aarzelde geen seconde.

'Je moet het laten nakijken.'

Ze wist even niet wat ze moest zeggen, wie weet, misschien beeldde ze zich de afschuwelijke gevolgen daarvan wel in.

Ik drong aan. 'Ridge, beloof me dat je een afspraak maakt.'

Ze focuste zich weer.

'Oké, dat zal ik doen, maar er is nog iets.'

Ik wachtte. Ze vroeg, 'Heb je gehoord van die kruisiging?'

Ik knikte, ook al wist ik vrijwel niets.

Ze zei, 'Hij was achttien jaar oud, die John Willis, ze hebben hem aan het kruis genageld en het ding op de heuvel ten noorden van de gemeentelijke vuilnisbelt neergezet. We dachten dat het misschien iets met een drugsdeal te maken had, een waarschuwing voor anderen, of mogelijk zelfs iets politieks. Dat is niet zo. Hij komt uit een keurig gezin, zou binnenkort gaan studeren en heeft geen strafblad.'

Ze wachtte tot ik iets zei.

Ik was verdoofd, geschokt, misselijk. Beelden van Cody vlogen door mijn hoofd en ik was bang dat ik zou overgeven. Het duurde minstens vijf minuten voordat ik kon uitbrengen, 'Aanwijzingen?'

Ze beheerste zich en onderdrukte de opwinding die deze zaak bij haar wakker maakte.

'We hebben niets – geen aanwijzingen, niets om op af te gaan, we schieten geen steek op. Als iemand erin slaagt er licht op te werpen, zou het een enorme sprong betekenen voor zijn carrière.'

Het duurde even voor het tot me doordrong.

'O nee, je wilt dat ik eens ga rondsnuffelen. Jij bent degene die me altijd vertelt dat ik uit dit smerige wereldje moet stappen, dat ik eraan kapot ga.'

Ze had gelukkig het fatsoen beschaamd te kijken, maar zei toen, 'Ik wil niet dat je iets gevaarlijks doet, maar je bent gewoon griezelig goed in het vinden van sporen.'

Voordat ik kon weigeren – en dat was precies wat ik van plan was – haalde ze een vel papier tevoorschijn en ze zei, 'Dit zijn de gegevens, hij woonde in de Claddagh, ik zal het hier laten liggen. Denk er even over na, oké? Dat is alles wat ik vraag, Jack.'

Jack.

Ze gebruikte nooit mijn voornaam. Dat gaf aan hoe wanhopig ze moest zijn.

Terwijl ze naar de deur liep, zei ze, 'Je ziet er moe uit, ga even rusten.'

Met al het sarcasme dat ik in me had zei ik, 'Je bezorgdheid is ontroerend. De volgende keer dat ik je zie, wil ik horen dat je je hebt laten onderzoeken.' Ik probeerde luchtig te klinken, niet te laten merken hoe bezorgd ik was.

Ze stond in de gang en een straal licht viel op de gouden knopen van haar uniformjas.

Ze zag er best indrukwekkend en kwetsbaar uit, zei, 'Ik ben helemaal niet bezorgd, ik wilde alleen maar beleefd zijn.'

Ik schreeuwde haar na, 'Dan moet je harder je best doen!'

Ik knalde de deur dicht om de buren te laten weten dat ik weer helemaal terug was. Pakte het vel papier op, las:

John Willis
Claddagh Park 3
Galway

Ik ging zitten en voordat ik erover kon nadenken, vielen mijn ogen dicht en kreeg de slaap me in zijn greep.

Herbert Spencer heeft eens geschreven: 'Er bestaat een principe dat een barrière vormt voor alle informatie, dat opgewassen is tegen alle argumenten en dat de mens in eeuwige onwetendheid houdt – dat principe is minachting voorafgaand aan onderzoek.'

Ik had uiteraard geen flauw idee hoe Spencer eruitzag, maar hij verscheen het bovenstaande citerend in mijn verwarde slaap met een hamer en spijkers in zijn hand, en begon toen te schreeuwen dat dit niet zou worden opgelost zolang ik niet de juiste mentaliteit bezat. Hij leek een beetje op mijn vader en brulde toen, in het Iers, 'Bhi curamach!'
Wees voorzichtig.

Ridge kwam ook in de droom voor, maar haar rol is me ontschoten, behalve dat ze bijzonder ongelukkig was. Serena May, het dode kind, was er natuurlijk ook bij, met haar treurige blik op mij gericht tot ik jammerend en badend in het zweet wakker werd.

Het appartement was donker en ik keek onhandig op mijn horloge... Jezus, zeven uur, ik had vijf uur liggen maffen. Nam me resoluut voor de slaaptabletten te minderen. Wat betreft mijn verbitterde houding nam ik me echter helemaal niets voor – dat was de enige drijfveer die ik had.

6

'Sed libera nos a malo.'
'Maar red ons uit de greep van het kwaad.'

Het Onzevader

Het meisje herinnerde zich de groene muren van de psychiatrische inrichting – kotsgroen. Ze was in een ziekenhuisbed bijgekomen en had aanvankelijk paniek in zich voelen opwellen, totdat ze besefte dat ze nog leefde. Ze had niet kunnen zeggen of ze opgelucht was of niet.
Toen zag ze dat haar vader op een harde stoel bij haar bed zat, bij haar waakte. Zijn hoofd was naar voren gezakt en er droop een beetje speeksel uit zijn mond, waardoor hij er oud uitzag. Midden op zijn hoofd was een kale plek zichtbaar, nog niet heel opvallend, maar het haarverlies was begonnen. Zijn hele houding ademde verslagenheid uit. Ze had hem in vele stemmingen meegemaakt – kwaad, gefrustreerd, overmand door verdriet – maar hij had het nooit, maar dan ook nooit opgegeven.

Ze wist dat hij wakker zou worden als ze zich bewoog en ze had iets meer tijd nodig voordat dat gebeurde. Ze bleef roerloos liggen, met een droge mond en een lichaam dat zwak aanvoelde. Toch was er iets veranderd. Ze voelde een duistere energie boven zich hangen, die wachtte tot ze haar bij zich riep. In de dagen na het drama, toen ze ontroostbaar was geweest, was ze langzaam haar verstand verloren. Ze zag in gedachten telkens voor zich hoe haar moeder zich moest hebben gevoeld, in die seconden vlak voor het einde. Helemaal alleen – dat had haar moeder ongetwijfeld vreselijk gevonden.

Het meisje had een voorraadje van haar moeders slaappillen bewaard en op straat had ze een hele verzameling ander spul bemachtigd. Ze had in haar kamer gezeten met de pillen op een rij voor zich, als soldaatjes die op haar bevelen wachtten. Ze genoot van de kleuren, heel veel geel, rood en blauw – blauw, de kleur die haar moeder het liefst had. Helemaal vooraan in die rij verlichting biedende dingetjes stond de fles wodka. Ze nam een flinke teug, en toen… iene, miene, mutte… eerst een blauwe, dan een rode… en waarom niet meteen twee gele, plus een slokje wodka. Ze voelde dat de alcohol een warme gloed in haar maag veroorzaakte en de stem in haar hoofd vroeg, 'Maak je jezelf van kant?'

En de andere stem, nog altijd in het beginstadium – de duistere stem – antwoordde, 'Ik wil alleen maar dat het verdriet weggaat.'

Dat alomvattende verdriet had haar in stil verdriet doen jammeren, met het hoofd in de nek geworpen, haar mond wijd open zonder dat ze geluid voortbracht, net een stomme hyena. Zo had haar broer haar gevonden en hij was doodsbang achteruitgedeinsd, niet in staat of niet bereid haar troost te bieden. De stem van het meisje, de stem uit haar jeugd, deed een laatste poging tot herstel, terwijl ze drie rode – zo'n mooie kleur – naar binnen propte, en zei, 'Zelfmoord betekent eeuwige verdoemenis.'

De duistere toon beet terug, 'En dit dan, dit… zoals ik er nu aan toe ben, een trillend hoopje pijn en droefenis… is dat dan geen verdoemenis?'

Daarna herinnerde ze zich niets meer, alleen maar de duistere stem die sneerde, 'Nu zijn wij de baas.'

Waar ze ook was geweest, die lege plek tussen leven en dood, dát was de plek waar de overgang had plaatsgevonden. De duisternis was sterker geworden en had haar oude zelf uitgewist. Ze had diep uitgeademd, alsof ze zo de laatste overblijfselen wilde uitbannen van het meisje dat ze was geweest en, zo bedacht ze met diepe verachting, de zwakkeling die ze was geweest.

Afgelopen.

Laat de schaduwen heersen. Laat het schrikbeeld van vergelding en meedogenloze wraak maar komen.

Op dat moment had ze, aan de rand van haar blikveld, vlammen zien oplaaien in de hoek van de kamer, maar toen ze omkeek, was er niets. Ze had een kreet van pure vreugde uitgestoten.

Door het geluid was haar vader wakker geworden. Hij was plotseling overeind geschoten, met een verschrikte blik, gevolgd door opluchting toen hij ontdekte dat ze terug was.

Had hij het toen maar geweten.

Hij had haar tengere hand in zijn eigen enorme vuisten genomen, zachtjes geknepen en gezegd, 'Vertel het me, kindje, vertel me maar wat ik kan doen om te helpen.'

Ze was rechtop gaan zitten, voelde een kracht in haar hele lijf die ze niet eerder had bezeten, en had hem heel gedetailleerd verteld wat ze wilde. Met een verrukkelijk machtsgevoel had ze de afschuw over zijn gezicht zien kruipen bij het horen van haar plan. De helderheid van haar gedachten, omgeven door deze nieuwe duisternis, was opwindend geweest.

Hij had met al haar plannen ingestemd, hoewel ze duidelijk kon zien dat de bijbelse omvang van haar visioen hem deed walgen. Hij was echter zo opgelucht geweest dat hij haar terug had, dat hij met werkelijk alles zou hebben ingestemd.

Nadat hij was vertrokken, had ze zich in een knusse houding van complete vernieuwing opgerold, met een glimlach vanwege zijn vreugde omdat ze niet dood was. Haar glimlach werd kwaadaardiger toen ze zich afvroeg hoe hij zich zou voelen als hij wist wie er eigenlijk precies was teruggekeerd. Een geruststellende vermoeidheid maakte zich van haar meester en voordat slaap haar in zijn bezit nam, dacht ze terug aan haar moeders beschrijving van de kerk die zo'n belangrijke rol had gespeeld in haar leven.

Ze had gezegd, 'Alannah, onze kerk is alles wat we hebben. Onze Lieve Heer Jezus Christus laat niet met zich spotten. Hij zal degenen die zijn kudde schade toebrengen neerslaan.'

Haar moeder was een van de meest voorbeeldige leden van die kudde geweest en het meisje mompelde, al half in slaap, met de geur van rook in haar neusgaten, 'En zie, een vaalgele ruiter, met dood en verderf in zijn spoor.'

De woorden lagen als een zwarte hostie in haar mond.

7

In Ierland wordt door oudere gene-raties geloofd dat een gebed, uitge-sproken aan de voet van het kruis, altijd wordt beantwoord.

De volgende ochtend ging ik naar het ziekenhuis voor mijn dagelijkse bezoekje aan Cody, om te zien of de wonden genazen en hij geen doorligplekken had. Moest twee uur wachten. Het journaal stond op. De belegering van de Russische school was geëindigd in gruwelen, rampspoed. Driehonderd doden, zo werd gevreesd, de meeste kinderen, beelden waarin ze in hun ondergoed wegvluchtten, terwijl de terroristen op hen schoten. Ik moest mijn hoofd afwenden, hoorde het geschokte happen naar adem van de mensen in de wachtkamer. Vervolgens een reportage over Irak: sinds de 'vrede' waren daar *duizend* Amerikaanse soldaten omgekomen. Toen de verpleegster me riep, kwam het als een opluchting dat ik de televisie achter me kon laten.

De dokter vroeg, opgewekt, 'Hoe voelt u zich nu?'

Multiplechoicevraag:

Ontzet

Depressief

Katterig

Een enorme hufter.

Ik zei, 'Het kon erger.'

We liepen naar Cody's bed, hij oogde... dood, overal slangetjes, alleen het zachte rijzen en dalen van zijn borstkas duidde op leven.

Wat dat in vredesnaam ook mocht betekenen.

Hij onderzocht hem grondig, mompelde, 'mmm' en 'zo zo', allemaal geluiden die je hart een slag doen overslaan. Na een tijdje was hij klaar en maakte hij een paar aantekeningen op een kaart, en hij zei, 'Hij geneest goed.'

Er hing een *maar* in de lucht en ik wachtte. Ik gaf zelf niets prijs. Wat hij ook dacht, hij zou er vanzelf wel mee komen, dat doen ze altijd, het had geen zin om er zelf iets aan toe te voegen.

Hij zuchtte. 'Zijn lichaam is blootgesteld aan een buitensporig hoge...'

Hij zocht naar een geschikte term, dus om het kort te houden, opperde ik, 'Afstraffing?'

Ik was zo vaak in elkaar geslagen dat ik de tel was kwijtgeraakt – met een *hurley-stick*, een ijzeren staaf, vuisten, laarzen, en altijd opzettelijk, dus je kon wel zeggen dat ik veel van het onderwerp afwist. De schietpartij was als mijn Oscar, mijn beste prestatie, en alle andere waren slechts de aanloop naar die ene belangrijke gebeurtenis geweest. De enige kleine afwijking was natuurlijk dat ik niet degene was die was neergeschoten.

Voeg daar de strijd tegen alcohol bij en mijn overlijdenskaart was vrijwel compleet. Ik had het goede woord gekozen.

'Precies.'

Ik nam aan dat we klaar waren en maakte aanstalten om te vertrekken.

Hij zei, 'Alcohol is niet bevorderlijk voor het genezingsproces.'

Ik opperde, 'Ik denk niet dat die knul binnenkort naar buiten wipt voor een pint, u wel?'

Hij trok een chagrijnig gezicht – prachtig woord is dat, het bewijs van mijn autodidactheid, ook al schoot ik er geen reet mee op – en snauwde, 'Sarcasme is hier niet op zijn plek. Die arme jongen is hier niet door mijn toedoen beland en ik doe echt mijn best voor hem.'

Bla bla bla.

Ik wilde roepen, 'Dat is verdomme niet goed genoeg.'

Hij vroeg, 'Praat u tegen hem?'

'Wat?'

'Zeker weten doen we het niet, maar onderzoek heeft aangetoond dat bezoekers er zeker baat bij hebben tegen een comapatiënt te praten, en wie weet? Misschien hoort hij u wel.'

Wat een gelul.

Ik vroeg, 'Wat had u precies in gedachten – de voetbaluitslagen, hoe het met Man U gaat, dat Giggs waanzinnig goed speelt? Denkt u nu echt dat Cody daardoor uit dat coma ontwaakt?'

God, ik was werkelijk razend, een razernij die dreigde me te verzwelgen.

De dokter merkte dit, zei, 'U zult het wel het beste weten.' En weg was hij.

Ik weet dat het niet eerlijk van me was, maar hij was nu eenmaal aanwezig en een gemakkelijk doelwit, zoals dat heet. Een deel van me wilde hem terugroepen, mijn verontschuldigingen aanbieden, maar nee hoor, ik deed het niet.

Toen ik weer buiten stond ademde ik opgelucht uit en mompelde ik mijn oude, vertrouwde mantra: 'En nu heb ik wel een borrel verdiend.'

Ik keek omhoog naar de donker kleurende lucht – de zomer was definitief voorbij – en mompelde tegen de God die ik niet langer vertrouwde, 'Kan ik dan echt niet één dag zuipen zonder er een kater aan over te houden?'

Ik wist het antwoord al, maar soms stel je de vraag gewoon om jezelf extra te kwellen.

8

De kruiswegstaties

Ik was Bukowski's *South of No North* aan het lezen – probeerde het althans. Mijn gedachten vlogen alle kanten op en niet een ervan in een goede. Alsof ik, met een hoofd vol angst om Ridge en borstkanker, en Cody die in coma lag, rustig kon gaan zitten lezen.

Nee zeg, geen schijn van kans.

Legde het boek weg. Dit was niet de juiste afleiding voor mij om in weg te vluchten. Keek op mijn horloge – nog een halfuur tot het tijd was voor de pub. Op een of andere manier hield ik de boel qua drank min of meer onder controle, hoewel de aandrang om naar iemand uit te halen steeds sterker werd. De radio stond aan en liet een nummer horen van Elvis Costello's nieuwe album *The Delivery Man*, waarop een maf duet stond met Lucinda Williams en een overvloed aan gitaren die rauw mee denderden, gevolgd door 'Heart Shaped Bruise' met mijn jarenlange favoriet Emmylou Harris. Alles wat je moet weten zit in de titel, die tegen de gehavende resten aan schuurde van elk verlangen dat ik mogelijkerwijs nog koesterde. Ik stond op, zette hem uit. Mijn gehoor was echt niet goed meer. Nog een klein beetje zielenleed erbij en ik ging op zoek naar een touw.

Een blik uit het raam: een kleine storm in opkomst, terwijl Amerika werd geteisterd door de derde orkaan in drie weken tijd. Deze, die heel toepasselijk Ivan heette, trok in de richting van New Orleans, en ik trok naar de pub. Mijn eigen storm. Pakte mijn voor alle weertypen geschikte Gardajas, artikel 8234. Ze schreven me nog steeds regelmatig brieven in een poging hem terug te krijgen.

Hadden jullie gedacht, hufters.

Een dun laagje zweet op mijn voorhoofd toen ik Eyre Square bereikte. Puur voor de lol liep ik door naar Eglington Street. Dat is ongeveer een kwartier vanaf mijn flat. Ik liep achter Eyre Square langs en naderde de straat vanuit westelijke richting. Vroeger stond daar de

Lions Tower, ook bekend als het Bastion, en daarna volgde het Garda-gebouw.

Daarvandaan kun je Francis Street in lopen, waar de beste groenteboer van de hele stad zit. Je kunt er zeewier krijgen, dat Crannog wordt genoemd en elke ziekte zou genezen. Ik heb het spul een keer geprobeerd tegen een kater en werd zo ziek als een hond, maar daar kon het zeewier niet echt iets aan doen. Amerikanen vonden het goedje intrigerend en wisten nooit zeker of we het serieus meenden.

Ik ook niet. Volgens mij hoort het op het strand thuis, aangespoeld en veronachtzaamd.

De Sisters of Mercy hadden daar een school, waar mijn moeder en Nora Barnacle op hadden gezeten, hoewel natuurlijk niet tegelijkertijd. Als je mijn moeder moest geloven, was Nora een 'brutaal nest.'

Mijn verbitterde moeders enige, unieke mening over de Ierse literatuur. Net als veel anderen van haar generatie vond ze Joyce 'een auteur van vuilschrijverij.'

Ik liep snel door die straat, herinneringen aan mijn moeder behoren niet tot mijn favoriete gedachten, en ging naar Cross Street. Dat vind ik een fijne straat, het kantoor van de *Connacht Tribune* staat er en als je het lokale nieuws wilt weten, moet je die krant hebben. Er hangt een prettige sfeer en iets verderop, evenwijdig aan Shop Street, wordt de zaterdagmarkt gehouden. Maar potverdikkeme, zal ik je eens wat zeggen, ze waren van plan alles te slopen en de markt af te schaffen. De inwoners van Galway gaan nog liever dood dan dat ze die klootzakken daarmee laten wegkomen.

Hoop ik.

Ik bereikte de St. Nicholas-kerk, waar volgens de overlevering Columbus heeft gebeden voordat hij eropuit trok om Amerika te vinden.

Dat moet dan een verrekt pittige smeekbede zijn geweest.

En toen stond ik in Shop Street, op drie minuten van de pub.

Een man bleef staan, zei, 'Jack?'

Ik staarde hem aan. Nee, kende hem niet, maar wat zei dat nu helemaal? Sinds de schietpartij leek het wel of iedereen mij kende.

Hij was een wandelende advertentie voor Amerikaanse sporten.

Een sweatshirt van de LA Dodgers, een sportbroek met een streep langs de zijkant en het logo SUPERBOWL, plus de onvermijdelijke sportschoenen van Nike. Op zijn hoofd wiebelde een honkbalpetje met de tekst KNICKS KICK ASS. Ik moet zeggen dat ik nogal overweldigd was door die enorme berg Amerikaanse spullen. Hij was niet jong, dus dat was ook geen excuus, halverwege de zestig of anders ontzettend verrot door drank of drugs, of beide.

Hij zei, 'Ik was bevriend met je moeder.'

Wat inhield dat hij geen vriend van mij was. Hij zag mijn reactie en voegde eraan toe, 'Van wijlen je geliefde moeder, bedoel ik.'

Hij sloeg een kruisje, zei, 'Moge God haar rust schenken. Hij heeft haar tijdens haar leven in elk geval niet veel geschonken.'

Ik wilde opmerken dat zij zelf ook niet al te vrijgevig was geweest, maar wat had het voor zin? Hij zou alleen maar denken dat ik verbitterd was, wat klopte.

Ik vroeg, 'Wat moet je van me?'

Hij lachte gemaakt – iemand heeft hem vast en zeker verteld dat het een van zijn beste eigenschappen was. Dat was dan gelogen.

Ik keek op mijn horloge en hij begreep de hint, zei, 'Ik houd je op. Moet je horen, ik zamel geld in voor het voetbalteam tot veertien jaar, we willen hun nieuwe sportkleding geven.'

Ik staarde naar zijn uitdossing en vroeg, 'Gaat dat er net zo uitzien als wat jij aanhebt?'

Hij keek geschokt. 'Het gaat om Gaelic voetbal. We moeten onze nationale sport immers steunen.'

Voordat hij van wal kon steken met een of andere langdradige preek over de geschiedenis van hurling, zei ik, 'Ik weet het goed gemaakt, ik stuur wel een cheque over de post, wat zeg je daarvan?'

Geen goed idee.

Voordat hij een antwoord had geformuleerd, wuifde ik al een afscheidsgroet.

Vlak voordat ik Garavan's bereikte, sprak iemand anders me aan en ik dacht, *fuck off*. Je kunt op één ochtend maar een beperkte hoeveelheid gezeik verdragen en ik had mijn aandeel al wel gehad. Ik schoot snel naar binnen. De barman knikte, geen woorden, wat ik prima vond en ik liep naar het achterkamertje. Je hoort pas echt bij het meubilair wanneer je niet alleen niets meer hoeft te bestellen, maar ook nog eens zo kunt doorlopen naar je vaste stek om daar te wachten tot je drankje wordt gebracht.

Dat gebeurde.

De pint zag eruit als alle gebeden waarvan ik ooit had gehoopt dat ze zouden worden gehoord. De Jameson die ervoor stond, was eveneens een prachtstuk.

Ik mompelde, 'Beter dan dit wordt het niet.'

Is dat niet triest?

Toen de barman de glazen neerzette, vroeg ik me af of ik hem naar zijn naam moest vragen. Maar dan zouden we waarschijnlijk bevriend raken en zou hem iets verschrikkelijks overkomen. Ik bromde dus alleen wat en hij vroeg, 'Heb je gisteravond de eerste aflevering van *Deadwood* op Sky gezien?'

Ik was om negen uur naar bed gegaan nadat ik nog een slaappil had ingenomen om de pijn die in mijn hart was losgebarsten te verzachten. Ik schudde mijn hoofd.

'Het was echt allemachtig smerig, wild, de taal was barbaars. Ik heb wel dertig keer "fuck" geteld.'

Wat moet je daar nu op zeggen? Is er een reactie die ook maar van enig gezond verstand getuigt? Ik kwam er niet op.

Hij ging verder, 'Jij zou het echt geweldig vinden.'

Is dat een compliment of vraagt het om een dreun op zijn bek? Ik ging er niet op in en nam me voor de volgende aflevering te bekijken.

Ik stond op het punt te vertrekken toen er een vent binnenkwam, om zich heen keek, naar mij toe liep, vroeg, 'Wil je een whisky van me?'

Ik had heel veel mannen en ook vrouwen ontmoet die aan alcohol ten onder waren gegaan, en een gezicht hadden dat getuigde van het ergste wat de hel te bieden had, maar deze gozer leek net op de foto's van Bukowski in zijn laatste dagen. Niet goed. Onder de uiterlijke ravage was hij volgens mij pas een jaar of dertig, maar de rode ogen hadden dingen gezien die alleen een hele eeuw aan ellende misschien kon veroorzaken.

Ik vroeg, 'Hangt er buiten soms een bord waarop staat: *alle gekken hier verzamelen – als je je hond wilt terugvinden of gewoon knettergek wilt worden, kun je hier terecht*?'

Hij richtte zijn bloeddoorlopen ogen op mij en herhaalde, 'Hond? Welke hond?'

Ik begreep dat dit nog wel even zo kon doorgaan, dus ik kapte het af, snauwde, 'Was je speciaal op zoek naar mij?'

De vraag overdonderde hem blijkbaar en hij verdween. Ik gaf het weer maar de schuld – storm haalt als de roep der wildernis alle mafkezen naar buiten. Op de stoel naast me lag een roddelblad en ik wierp een blik op de koppen, die van het hoofdartikel luidde BRITNEYS TWEEDE HUWELIJK NIET LEGAAL! Dit nam het grootste deel van de voorpagina in beslag en in een hoekje stond een berichtje over de Engelsman die in Irak was gegijzeld. Hij was samen met twee Amerikanen ontvoerd, die inmiddels waren onthoofd – zijn lot hing letterlijk aan een draadje. Zijn familie had Tony Blair om hulp gesmeekt. Voordat ik naar pagina drie kon doorbladeren, waar het verhaal verderging, kwam de man terug met een groot glas whisky in zijn bevende knuist.

Hij zei, 'Sorry, hoor. Ik moest, ehm, nou ja, alle feiten even op een rijtje zetten, en mezelf in bedwang krijgen.'

Zijn hele lijf trilde. Als hij nu in goede doen was, moge God dan verhoeden dat ik hem ooit in ingestorte staat meemaakte. Ik besloot een andere pub te zoeken – kennelijk wist de hele verrekte stad dat ik in Garavan's te vinden was. Wat me nog het meest verontrustte was dat hij ontzettend op me leek. De lichamelijke staat waarin hij verkeerde kende ik maar al te goed, en in mijn huidige gemoedstoestand was ik daar slechts een of twee borrels van verwijderd.

Hij stak zijn hand uit. 'Ik ben Eoin Heaton.'

Ik schudde zijn hand. Die was klam van het zweet en toen ik de mijne terugtrok moest ik me inhouden om hem niet af te vegen. Ik voelde de vereenzelviging die je met een medeslachtoffer kunt hebben, maar wilde er niet aan en stond op het punt hem vriendelijk weg te wuiven toen hij opmerkte, 'Ik ben net als jij.'

Fuck.

Alsof hij mijn gedachten had gelezen. Ik maakte aanstalten om op te staan. Ik had echt geen behoefte aan deze shit en als hij tot over zijn oren in de moeilijkheden zat, tja, jammer dan, pech gehad en zo, maar ach, niet mijn probleem.

Hij zei, 'Ik was Guard en ze hebben me er uitgezet.'

Ik ging weer zitten en mijn eigen treurige carrière trok in een flits aan me voorbij. Hij vroeg, 'Had jij niet een politicus geslagen, hem een mep op zijn smoel verkocht?'

En zo was mijn glorieuze, jarenlange, pijnlijke neergang in gang gezet.

Zijn gezicht klaarde op bij de gedachte aan wat ik had gedaan, het eerste sprankje vitaliteit dat hij had getoond. Ik kon zien dat hij in wezen een fatsoenlijk mens was, belast met een zekere naïviteit, maar ook met een bepaalde – wat is het woord ook alweer? – goedheid, als er tenminste nog zoiets bestaat in een wereld waarin de slechte huwelijken van een popster meer aandacht in de gedrukte pers krijgen dan de op handen zijnde onthoofding van een man.

Ik zei, 'Tja, daar heb ik wel een beetje spijt van.'

Hij praatte maar wat graag met me mee, vroeg, 'Spijt omdat je hem hebt geslagen?'

'Nee, omdat ik hem maar één keer heb geraakt.'

Hij lachte luid, een tikje hysterisch, hield toen plotseling op, staarde me aan en vroeg, 'Wat is er met je stem aan de hand?'

Ik besefte dat die schraperiger klonk dan anders, alsof ik graniet had ingeslikt, en hij had me de laatste dagen veel pijn bezorgd.

Ik zei, 'Als je duizend sigaretten rookt en voldoende slechte whisky drinkt, verwoest dat je spraakvermogen.'

Hij werd heen en weer geslingerd tussen een schuldgevoel omdat hij erover was begonnen en een zekere opwinding om in de nabijheid te zijn van iemand die... bij een *schietpartij* was geweest. Zijn nieuwsgierigheid kreeg de overhand en hij vroeg, 'Hoe was dat, als ik het vragen mag, je weet wel... toen dat je overkwam?'

Wat zeg je daarop? Dat het onwijs gaaf was, en de reden dat je rond het middaguur naar onaangelengde whisky ruikt of dat je, zoals de artsen al hadden gewaarschuwd, aan een posttraumatisch stresssyndroom lijdt?

Ik besloot het luchtig te houden. 'Mijn hele dag was verpest.'

Hij knikte, alsof hij zich dat wel kon indenken.

Dat kon hij helemaal niet.

Ik had er niets meer aan toe te voegen, dus ik vroeg, 'Wat wil je eigenlijk van me?'

Zag een zenuwachtig glimlachje. Hij keek naar zijn inmiddels lege glas, alsof hij wilde zeggen, *hoe is dat nou gebeurd?*

Ik kende het gevoel.

Hij zei, 'Ik haal nog wat te drinken voor ons.'

Ik wilde best, en een echte dronkaard naast me als gezelschap, dat zou helemaal ideaal zijn geweest, maar ik had mezelf grenzen gesteld.

'Nee, niet voor mij, ik moet ervandoor.'

Hij was teleurgesteld. Niet helemaal de reactie die hij had verwacht. Hij zei, 'Kun je me helpen?'

Ik mocht hem wel, maar zo graag nu ook weer niet.

Ik zei, 'Meld je aan bij een ontwenningskliniek, bel de AA, er zijn allerlei...'

Hij onderbrak me, pure afschuw in zijn ogen, schreeuwde bijna, 'Niet dat soort hulp, Jezus Christus. Een paar dagen in bed, wat paracetamol, iets te eten, een beetje rust en ik ben er zo weer bovenop.'

Ik dacht, *droom lekker verder, sufferd* en wachtte.

Hij ging rechtop zitten, zei, 'Ik wil doen wat jij doet. Je weet wel, dingen opsporen, zaken onderzoeken.'

Ik had hem een hele preek kunnen geven, hem kunnen vertellen dat hij zich een enorme berg ellende op de hals haalde, maar terwijl ik me daar al op voorbereidde, smeekte hij, 'Jack, ik heb een reddingsboei nodig. Ik heb helemaal niets, ga vanbinnen dood. Als jij me iets geeft om me aan vast te klampen, word ik vanzelf weer de oude. Ik heb alleen iets nodig om me op te focussen.'

En opnieuw nam ik de foute beslissing. Ik had hem gewoon met een kluitje het riet in moeten sturen, maar het raakte me, die uitdrukking op zijn gezicht, die eenzame, wanhopige kreet om hulp.

Ik zei, 'Oké, ik zal je een eindje op weg helpen, en als het je lukt zullen we eens kijken of je me ook met andere dingen kunt helpen.'

Hij greep mijn hand vast, stralend van dankbaarheid. 'Je krijgt er geen spijt van.'

Ik had er nu al spijt van, waarschuwde, 'Je hebt nog niet gehoord waar het om gaat. Zo meteen ben je misschien niet zo dankbaar meer.'

Op zijn gezicht lag de overtuiging dat er geweldige dingen stonden te gebeuren. Dat is het gevolg van Jameson op een lege maag, de illusie dat alles goed zal komen. Ik vertelde hem over de verdwenen honden in Newcastle en het verzoek dat na te trekken. Ik pakte mijn opschrijfboekje, gaf hem de naam van de man die mijn hulp had ingeroepen. Hij zag er ziek uit, niet gewoon ziek van de drank, maar ziek als van een diepe teleurstelling. Het duurde even voordat de informatie tot hem was doorgedrongen en toen gooide hij eruit, 'Teringbeesten – ik moet dus op zoek naar een of ander stom vermist dier?'

Ik schudde mijn hoofd. 'Je hoeft helemaal niets, dat heb ik je al gezegd, maar jij zei dat je bereid was alles aan te pakken. Dit is je kans om dat te bewijzen.'

Hij wreef in zijn handen, een gebaar dat bij mijn weten alleen in boeken voorkwam, en zei, 'Oké, als je het zo zegt, scheelt het een slok op een borrel.'

Hij was zo ver heen dat de vreselijke ironie van zijn woorden hem ontging.

Er klonk berusting in zijn stem en de last van alle wereldproblemen straalde uit zijn ogen, dus ik verweerde me, 'Zeg, moet je horen, je bewijst mij er heus geen gunst mee. Als je iets beters te doen hebt, moet je dat vooral doen, laat je vooral niet door mij tegenhouden.'
Hij was verslagen, keek me aan met het gezicht van een vijfjarige, zei, 'Het spijt me, Jack, ik... ik ga meteen aan de slag.'

Ik gaf hem mijn telefoonnummers en toen hij bleef zitten, zei ik, 'Nou vooruit, aan de slag. Of denk je dat de oplossing zich vanzelf bij je aandient?'

Hij stond al bij de deur en zei, 'Nu begrijp ik wat ze bedoelden.'

Om van hem af te komen vroeg ik, 'O ja, wat was dat dan?'

'Dat je een harde eikel bent.'

Hij was vertrokken voordat ik kon reageren.

De barman kwam binnen, verzamelde de glazen, vroeg, 'Wil je nog wat anders?'

'Nee, het is goed zo. Weet jij wie die vent is die net is weggegaan?'

Hij veegde de tafel schoon, zei, 'Heaton? Met hem moet je oppassen.'

'Omdat hij alcoholist is?'

Hij lachte kort en keek me aan alsof hij zich afvroeg of ik een geintje maakte, de ketel die de pot verwijt dat hij zwart ziet. Hij zei, 'Tja, dat ook, maar ik bedoelde eigenlijk dat hij vroeger Guard was. Die hufters verliezen misschien wel hun haren, maar niet hun streken.'

9

Een dronkaard, geknield voor het kruisbeeld, geteisterd door een kater, zegt tegen God, 'Kom naar beneden, laat mij daar effe hangen.'

Na de begrafenis van John Willis sloot zijn familie zich thuis op. Zijn familie, dat waren zijn ouders en zijn zus, Maria. De eerste dagen kwamen buren langs om eten te brengen, hen te condoleren, en werd er heel weinig gesproken. De manier waarop hij was gestorven, gekruisigd, kapte alle opmerkingen af. Welke woorden van troost waren hier toereikend?

'Hij is nu beter af.'

'De tijd heelt alle wonden.'

'Nog honderd dagen te gaan tot Kerstmis.'

Het was gemakkelijker om niet langs te gaan, dus vulde het huis zich geleidelijk aan met stilte. Maria was ontroostbaar. Ze voelde zich vooral ellendig omdat ze altijd een betere band had gehad met hun oudere broer, Rory, die in Engeland zat. Ze was negentien en had net haar eerste auto gekocht, een tweedehands Datsun met heel wat kilometers op de teller. Maria was een onaantrekkelijk meisje en de vele make-up die ze gebruikte, schreeuwde slechts uit, *Jezus, wat is die onaantrekkelijk!* Wanneer ze achter het stuur kroop had ze echter het gevoel dat ze meetelde, dat ze belangrijk was. Soms zelfs dat ze best knap was. Ze werkte bij een lokale aannemer en ze hadden tegen haar gezegd dat ze zo lang vrij kon nemen als ze wilde. Op een maandagochtend was ze naar Salthill gereden, had ze haar auto langs de boulevard geparkeerd en naar de oceaan zitten kijken. Ze vond het mooi wanneer het water ruw was, de felheid van de zee werkte als balsem voor haar gepijnigde hart. Als ze in de spiegel had gekeken, zou ze een meisje op een bankje hebben zien zitten, een meisje met donker haar en waanzin in haar ogen. Het meisje hield Maria met een woeste gedrevenheid in de gaten. Van tijd tot tijd mompelde het meisje, 'Branden zul je, kreng.'

Mijn telefoon ging en ik nam op, kreeg mijn advocaat aan de lijn. Hij vertelde dat een lokaal veilinghuis had gevraagd of ik mijn appartement zou willen verkopen. Mijn eerste reactie was: *echt niet*, maar ik vroeg puur voor de lol hoeveel ze ervoor boden en viel zowat om toen ik het bedrag hoorde.

Ik zei, 'Voor een flat?'

Ik kon het niet geloven.

Hij zei, 'Woningen in het centrum van de stad zijn als goudstof, en als investering is het pure winst.'

Mijn hele verwarde leven lang heb ik impulsief beslissingen genomen, meestal de verkeerde. Nu zei ik, 'Oké, laten we het maar doen.'

Hij was net zo verrast als ik, vroeg, 'Zeker weten?'

'Natuurlijk niet, maar verkoop de boel toch maar.'

Ik was al langer van plan mijn leven flink op de schop te nemen. Als ik doorging op de huidige weg, werd Galway mijn dood nog – dat was al bijna het geval geweest. Zomaar opeens besloot ik naar Amerika te gaan. Ik riep al jaren dat ik daar graag naartoe wilde – nu kon dat in stijl, ik zou naar Florida gaan, daar een rijke weduwe opduikelen, in de zon liggen.

Florida kampte momenteel met zijn vierde orkaan, en toch moest en zou ik daar naartoe. Typerend voor mijn leven. Ik zou eerst naar New York gaan, de stad opzuigen, vervolgens rustig naar Vegas trekken en ten slotte door naar het zuiden. Misschien maakte ik zelfs wel een uitstapje naar Mexico. Mijn hart bonsde, mijn handen waren klam van het zweet en ik besefte dat ik gretig uitkeek naar een nieuw leven. God, hoe lang was het wel niet geleden dat ik zo enthousiast over iets was geweest? Ik zou die kruisiging nog voor Ridge onderzoeken, kijken of ik die zaak kon oplossen en er dan vandoor gaan, en alle ellende achter me laten.

Ik pakte het telefoonboek, belde een reisbureau, nam een optie op een ticket van Shannon naar New York. Legde de telefoon weer neer en dacht, *zet je dit echt door?*

Jazeker.

Van wie moest ik afscheid nemen? Bijna iedereen die ik kende lag op de begraafplaats. Ik keek op mijn horloge. Ik verlangde naar een borrel om het te vieren, maar hield me aan mijn bizarre zintuiglijke voornemen. In mijn hoofd tolde een wervelwind van gedachten. Ze zeggen wel dat gedachten door je kop vliegen, nou, de mijne vlogen ongeveer met de snelheid van het licht. De gedachte aan mijn vertrek had als een shot methamfetamine mijn hele tere zenuwstelsel opgezweept. Mexico, daar moest ik nog eens goed over nadenken, want ik had net Kem Nunns roman *Tijuana Straits* gelezen. Hij schreef dat daar heel akelige dingen gebeurden en ik vroeg me af, *zou dat echt heel anders zijn dan mijn huidige leven?*

Ik zou weinig bagage meenemen. Mijn bezittingen pasten in een envelop en konden per post worden verstuurd.

Ik ging eerst met de ouders van de dode jongen praten – ik had er geen zin in, maar als ik dit zaakje wilde opknappen, kwam ik er niet onderuit. Ik zou een kop koffie drinken, sterk, zwart en bitter, erheen gaan en in elk geval mijn deelneming betuigen. Ik wist zeker dat hun dag dan weer goed zou zijn. Precies waar ze op zaten te wachten, een volslagen onbekende die kwam zeggen hoe vreselijk hij het vond en hun dan een aantal vragen stelde. Ach, fuck, dronk ik nog maar – een paar glazen en ik zou ze de oren van het hoofd lullen.

Tel maar op die handel:

Een gezin storen tijdens de rouw = twee grote glazen Jameson.

Een nieuwsgierige klootzak zijn = heel veel pints van het donkere vocht.

Een nieuw leven in het vooruitzicht = één fles van een snelwerkend, dodelijk goedje.

Klonk mij volkomen logisch in de oren, maar ja, ik ben dan ook een Ier en logica speelt zelden een rol in mijn redeneringen.

Met gemengde gevoelens ging ik naar de Claddagh.

De Claddagh is wereldwijd bekend vanwege de Ierse trouwring: twee met elkaar verbonden handen met daarop een kroon. In het midden zit een hart. Draag je het hart met de punt van je af, dan zoek je een partner; draag je de punt naar je toe, dan ben je bezet.

De Claddagh neemt een unieke plaats in de geschiedenis in, niet alleen die van Galway, maar ook van heel Ierland. Dit was een gemeenschap van mensen die in een vrijwel volledig geïsoleerd dorp woonden, afgezonderd van Galway, ook al lag de stad op een steenworp afstand. De belangrijkste inkomstenbron was de visserij. Hun boten waren bijzonder en wogen tussen de acht en veertien ton. De mannen voeren langs de hele kust en na hun thuiskomst verkochten de vrouwen, die ook de netten maakten, de vangst. In tegenstelling tot andere vissersboten hadden deze boten als opvallend kenmerk een open dek. Ze werden 'Hookers' genoemd.

Daar hebben Amerikanen natuurlijk altijd de grootste lol om.

Het tragische is dat deze onafhankelijke gemeenschap in 1934 ophield te bestaan, toen hun huizen werden verwoest om ruimte te maken voor zogenaamd hygiënischer woningen. De term 'vooruitgang' was toen nog niet in zwang, maar de gebeurtenissen vonden plaats in dezelfde sfeer van verandering en totale uitroeiing die tegenwoordig ook overal heerste.

De mentaliteit, de pure wilskracht van de mensen uit de Claddagh bestaat echter nog steeds, is door de jaren heen van generatie op generatie overgegaan, en zelfs in onze moderne wereldstad blijft het Claddagh-volk een heel apart ras.

Ik ben gek op die plek.

Vroeger werkte het voeren van de zwanen als oppepper en niet alleen voor hen. Het hoorde bij het leven in Galway. Als je omhoogkeek, zag je Nimmo's Pier, en de oceaan die je lokte en sprak van een leven vol beloften. Aan de horizon lagen de Aran-eilanden en een manier van leven waar haast geen rol speelde. Voor mij had dit gebied echter niet langer iets rustgevends. Er waren te veel taferelen van geweld en verlies aan verbonden.

Ik liep er snel doorheen. Een man aan de waterkant voedde om beurten de zwanen en een hazewindhond. De hond was er niet best aan toe, magerder dan een zigeuner.

Ik zei, 'Hoe gaat ie?'

Zonder me aan te kijken vroeg hij, 'Hazewindhond kopen?'

'Ehm, nu even niet.'

Hij haalde zijn schouders op, alsof ik het dan maar zelf moest weten, voegde er nog aan toe, 'Dit dier is een echte winnaar.'

Tuurlijk.

Ik wilde niet treuzelen, maar sommige onzin vraagt om een reactie, anders ga je nog geloven dat chaos echt overheerst. Ik vroeg, 'Waarom laat je hem dan niet meelopen in een race?'

Hij stootte een lach uit, boordevol verbittering en spijt, zei, 'Mijn vrouw heeft de pest aan honden.'

Misschien was zij wel degene die in Newcastle honden jatte. Hij ging verder, 'Maar ik heb weer de pest aan haar, dus we staan quitte, zullen we maar zeggen.'

In een opwelling vroeg ik, 'Weet jij toevallig waarom iemand honden van verschillende eigenaars zou willen stelen?'

Ik dacht dat hij me niet had gehoord of niet de moeite nam antwoord te geven, dus ik liep alweer verder, maar toen riep hij, 'Om ze op te eten.'

Kan ik het maken om te zeggen: voedsel voor de geest?

Voor het huis bleef ik even staan om mezelf voor te bereiden. Het was er een in een rijtje, klein, vervallen, en straalde armoede uit. Ik herkende het omdat ik in precies zo'n huis was opgegroeid. De kleine tuin was netjes onderhouden en een paar rozenstruiken boden uitdagend het hoofd aan al het vreselijks wat de Noord-Atlantische Oceaan over hen uitstortte. Ik stopte een pepermuntje in mijn mond. Als je wilt dat de hele wereld weet dat je drinkt, moet je vooral dat doen. Alsof je zegt, *hé hallo, merk je wel dat ik de geur van drank verberg?* Hoewel ik niets had gedronken, sleten oude gewoonten niet snel. Vraag maar aan Sinn Fein.

Ik klopte eenmaal aan, nam toen voor de zekerheid nog een pepermuntje.

Een man van eind zestig deed open. Hij was klein, had wit haar, een verslagen houding, en zwarte kringen onder zijn ogen.

'Meneer Willis?'

Hij staarde me aan. 'Ja.'

Ik wilde net van wal steken toen hij zei, 'Ik ken u.'

Ik wachtte, bang dat hij de deur in mijn gezicht zou dichtsmijten, maar hij glimlachte even, een samentrekking van zijn mond, alsof deze was vergeten hoe het moest.

'U bent de man die de zwanen heeft gered.'

En voordat ik kon antwoorden, zei hij, 'Komt u alstublieft binnen.'

Hij liet me binnen in een donkere gang en deed de deur zachtjes dicht. 'Hierheen, alstublieft.'

Een smetteloze woonkamer met een flamencodanser boven op de televisie, waarschijnlijk een aandenken aan gelukkiger tijden. In een kastje met glazen deuren stonden trofeeën, foto's en een rijtje exemplaren van *Het Beste Boek*.

Hij gebaarde dat ik moest gaan zitten en zei, 'Ik ga even mijn vrouw halen. Wilt u koffie, thee, of misschien iets sterkers?'

Ik sloeg het aanbod met tegenzin af. Mijn oog viel op een zilveren fotolijst, op een ereplek op het kastje, en ik liep er naartoe. Er stonden drie personen op: twee jonge mannen en een meisje. De dode man herkende ik en het meisje was natuurlijk de zus, Maria, maar die derde? Er schoot me een regel van T.S. Eliot te binnen... iets over een derde die naast je loopt. Hij had rood haar, maar de uiterlijke overeenkomsten met de andere twee waren opvallend en hij moest haast wel een broer zijn. Ik mompelde, 'Nog een broer?'

Hoe had Ridge hem over het hoofd kunnen zien? Ik moest hem natrekken.

De stilte in het huis was verontrustend. De vader keerde terug met een vrouw die er nog verslagener uitzag dan hij. Haar lichaam was helemaal in elkaar gekrompen.

Ze stak een hand uit en zei, 'Fijn om kennis met u te maken.'

Jezusmina.

Ik mompelde iets clichématigs over hun verlies en ze knikte. Ik ving een glimp van haar ogen op en wilde in godsnaam maar dat ik dat niet had gedaan.

Als er iets ergers bestaat dan zielenleed, kwelling, had zij dat stadium bereikt. We stonden onhandig met ons drieën bij elkaar, niet goed wetend wat we moesten doen.

Ik zei voorzichtig, 'Ik vind het heel erg om u lastig te vallen, maar ik onderzoek de omstandigheden van Johns...' En ik kon toch met geen mogelijkheid op een goed woord komen – dood, heengaan, moord, allemaal te hard.

In plaats van te vragen wie me daartoe opdracht had gegeven, zei ze, 'We zijn u zeer erkentelijk.'

Uit pure wanhoop vroeg ik of ik zijn kamer mocht zien en de vader bracht me naar een klein achterkamertje. Hij zei, 'We hebben niets aangeraakt.'

De kamer van een jongeman: een onopgemaakt bed, een boekenkast vol autotijdschriften, een cd-speler en een rekje met muziek. Ik stond daar en vroeg me af wat ik in vredesnaam kwam doen.

Na vijf minuten ging ik terug naar het echtpaar en ik vroeg, 'Wat was John voor iemand?'

Kreeg een stroom liefde en genegenheid over me uitgestort. Hij was een doodgewone jongen – speelde voetbal, werkte in een garage, had veel vrienden.

De voordeur ging open en er kwam een meisje binnen. Ik wist meteen dat het hun dochter was, van de foto op het kastje. Een ervaren onderzoeker laat zich niet gemakkelijk voor de gek houden.

De moeder zei, 'We laten u even alleen met Maria. John en zij hadden een heel goede band met elkaar.'

Nadat ze weg waren geschuifeld, staarde ze me aan en ze vroeg, 'Hoe bent u hierbij betrokken geraakt? Kende u John?'

Ik antwoordde ontkennend, zei dat ik wilde kijken of ik kon helpen, aangezien de Guards geen steek verder kwamen.

Ze liet dit bezinken, vroeg, 'Wordt u ervoor betaald?'

'Nee, maar...'

Ze was niet boos, begreep het alleen niet.

'Dus u bent gewoon een goede vent die iedereen te hulp schiet, fouten rechtzet, dat soort dingen?'

Voordat ik kon antwoorden, zei ze, 'U lult uit uw nek.'

Dat was bekend terrein voor me. Agressie kan ik hebben, beter dan dat beleefde op de tenen lopen, dus ik zei, 'Ik dacht dat jullie alle geboden hulp met beide handen zouden aangrijpen.'

Ze keek me een minuut lang onderzoekend aan, vond wat ze zag maar niets, zei, 'Wat kan mij het schelen wat u denkt? John komt niet terug. Zou u iets voor me willen doen?'

'Natuurlijk, als ik kan.'

'Laat ons dan verdomme met rust. Zou dat kunnen? Ga maar Superman spelen bij iemand die er wél iets aan heeft.'

Ze liep met me mee naar de deur, haar lichaamstaal zei, 'Wegwezen.'

Ze keek me na toen ik wegliep, zei, 'En dan nog iets, meneer Taylor, die pepermuntjes werken niet.'

Alsof ik dat niet wist.

Terug in mijn flat zette ik Tom Russells *Road To Bayamon* op. Er staat een bitterzoet nummer op, 'William Faulkner In Hollywood'. Deed me verlangen naar een beter leven en ik moest het halverwege uitzetten. Belde Ridge. Ze klonk als haar gebruikelijke vijandige zelf.

'Wat?' gromde ze.

'Ken jij een Guard die Eoin Heaton heet?'

Diepe stilte, terwijl ze probeerde te bedenken wat de reden kon zijn van mijn vraag.

'Ja, die ken ik. Hoezo?' Haar stem droop van agressie.

'Die hebben ze er toch uitgeknikkerd?'

Een zucht en toen, 'Ja, hij had hetzelfde probleem als jij.'

Ik hoefde niet te vragen wat dat was, dus ik zei, 'Was hij een beetje goed, als Guard?'

Ze wachtte even, zei toen, 'Ze hebben hem eruit gegooid. Hoe goed zal hij dan zijn geweest?'

Ik wilde tegen haar schreeuwen, haar zeggen dat ze niet zo'n toon hoefde aan te slaan, maar vroeg in plaats daarvan – en ik moest me echt inspannen, dat lijdt geen enkele twijfel, het kostte me moeite het te verstaan – 'Wat heeft hij dan gedaan, afgezien van de drank? Wat was de reden voor zijn ontslag, of heb je geheimhouding gezworen?'

'Hij heeft smeergeld aangenomen van een man die niet aangehouden wilde worden wegens rijden onder invloed.'

Ik wist niet wat ik moest zeggen, dus ze ging verder, 'Dat keur jij zeker wel goed, jij vindt vast dat hij te hard is aangepakt.'

Zo is het wel genoeg, dacht ik bij mezelf, dus ik beet haar toe, 'Hoe weet jij nou wat ik denk?' Ik haalde diep adem, vroeg toen, 'Wist je dat John een broer had? Ik ben bij de familie geweest, heb zijn ouders en zus ontmoet. Ik geloof echt – ik ben ervan overtuigd, het is iets heel instinctiefs – dat je meer te weten moet zien te komen over die broer. Lukt dat, denk je? Alles wat je maar over hem kunt vinden.'

Ze zweeg even, vroeg toen, 'Geloof je echt dat het belangrijk is?'

'Absoluut.'

Ik had in elk geval haar volledige aandacht en vlak voordat ze ophing, zei ze, 'Oké,
wat heb ik te verliezen?'

Nadat ik had opgehangen, had ik een bijzonder voldaan gevoel over mezelf en ik begreep dat ik voor de verandering de hele zaak eens voorwaarts stuwde.

10

'Ik denk dat u me bent vergeten.'
Gijzelaar Ken Bigley in een boodschap aan Tony Blair, vierentwintig uur voordat hij werd onthoofd.

Ik had al een tijdje last van een probleem dat ik probeerde te negeren, dacht dat het vanzelf zou weggaan als ik het niet erkende.

Tuurlijk.

Mijn gehoor.

Van de televisie moest ik het volume maximaal zetten en mijn muziek moest ook zo hard mogelijk staan. Wanneer iemand iets tegen me zei, moest ik me vooroverbuigen om te verstaan wat er werd gezegd. Zodra je vijftig wordt, gaat alles achteruit. Een onontkoombaar feit. Mijn ogen deden het nog redelijk, maar met het leven dat ik had geleid was het toch al een wonder dat ik nog niet onder de grond lag. Meestal had ik dat liever anders gezien.

Ik pakte dus de telefoongids erbij, zocht een oorspecialist op en maakte een afspraak, de hele tijd ingespannen luisterend naar wat de receptioniste zei. Allejezus, als ik mijn gehoor kwijtraakte... ik had al een manke poot... ik werd echt oud.

Het had geen zin dit aan Ridge te vertellen, die zei dat ik mijn hele leven lang al niet luisterde. Ik gaf aan mezelf toe – iets waar ik een gruwelijke hekel aan heb – dat ik bang was. Ik was alleen. Een typisch Ierse vrijgezel in al zijn treurige glorie, sjofel en verbitterd, geruïneerd en steeds verder aftakelend.

Maar wel met een voornemen.

Godallemachtig, mijn voornemen. Mijn lichamelijke ik gaf er stukje bij beetje de brui aan, maar ik had wél een voornemen. Is dat geen giller? Daar zat ik dus, terend op het laatste beetje kracht dat me nog restte, en in plaats van na te denken over een bejaardentehuis, ging ik naar Amerika. Mooier dan dat kan het toch haast niet?

Je zou kunnen zeggen dat ik terugknokte, standvastigheid toonde ten overstaan van enorme tegenspoed, weigerde het bijltje erbij neer te gooien, me met hand en tand verzette. Iedereen die me kende, zou deze prachtige vorm van redeneren genietend in zich opnemen en vervolgens opmerken, 'Gelul.'

Een ochtend omsluierd door wanhoop. In het Iers weeklagen we, *Och ocon…* Wee mij, en niet zo'n klein beetje ook. Ik leed al bijna twee weken aan een ernstige depressie. Zonder te drinken, natuurlijk, niet omdat ik niet wílde drinken of omdat ik het een goed idee vond, maar omdat ik niet dacht dat ik het nog eens kon opbrengen ervan te herstellen.

Keek intussen televisie. Het nieuws was van een verwoestende somberheid.

Ken Bigley was onthoofd. Het valt met geen pen te beschrijven hoe dat voelde, net als toezien hoe het World Trade Center werd geraakt. Hetzelfde ongeloof, dezelfde misselijkmakende afschuw. Ik zakte steeds dieper weg in een neerwaartse spiraal van zwartgalligheid en droomde over honden – jawel, die uit Newcastle. Ze jankten en hapten naar mijn enkels, blaften dat ik iets moest doen. De telefoon ging onophoudelijk over. Ik trok de stekker eruit en ik zweer dat het ding nog steeds overging.

Op de gekste momenten bonkten mensen op mijn deur en ik mompelde, 'Oprotten, ik heb op kantoor al gegeven.'

Tijdens zulke waanvoorstellingen hoor je altijd een spookorkest, zoals dat door Malcolm Lowry is beschreven. Het mijne speelde één melodie, steeds opnieuw… 'Run' van Snow Patrol. Ik bad dat als ik stierf – en die kans leek me erg groot – iemand dat op mijn begrafenis zou spelen.

Wat een rotlied.

Wat een rotleven.

Als er niemand was om mijn heengaan te begeleiden, wie zou er dan nog om me rouwen? Zelfmedelijden hoort als vanzelfsprekend bij een delirium tremens – en ik zwolg erin. Het land was er eveneens niet al te best aan toe. We hadden vol vreugde onze eerste gouden Olympische medaille in ruim dertig jaar verwelkomd en natuurlijk hadden we daar een enorm feest van gemaakt. Wie doet dat nu niet? En toen – zoiets verzin je niet – kwam het paard niet door de dopingtest heen. Dat stomme beest!

In een land waar gekte werd gerespecteerd en waanzin een vaste contante was, ging dit echt een stap te ver.

Toen ik het eindelijk kon opbrengen om me, rillend en paranoïde, weer buitenshuis te begeven, kwam ik een vrouw tegen die zei, 'Weet u dat vandaag de dag is waarop honden worden gezegend?'

Ik staarde haar aan en antwoordde hijgend, 'Wat?'

Blijkbaar vond ze dat ik het moest weten en ze legde geduldig uit, 'In het klooster van de Poor Clares wordt een speciale ceremonie gehouden om honden te zegenen.'

Hierop kon je honderden dingen antwoorden, allemaal sarcastisch en vol flauwe woordspelingen, maar ik zei slechts, 'O.'

Ik vroeg me af of de honden in Newcastle nu veiliger waren. Ergens betwijfelde ik het.

Ik ging naar Garavan's en voordat de barman mijn gebruikelijke bestelling kon inschenken, zei ik, 'Zwarte koffie en mineraalwater met prik. Galway Irish water als je dat hebt.'

Mijn vader zou zich hebben omgedraaid in zijn graf als hij had geweten dat er een dag zou aanbreken dat we betaalden voor water, en dat op een eiland dat door het goedje werd omgeven en op de meeste dagen van het jaar door regen werd geteisterd.

Als de barman al een mening had over mijn langdurige afwezigheid, dan hield hij die gelukkig voor zich.

Het was de dag van mijn afspraak met de oorspecialist en ik had me gekleed op slecht nieuws.

Hoe je dat doet?

Kleed je onopvallend, kleed je in het zwart.

Ik had mijn begrafenispak aan, afkomstig uit een winkel van een liefdadigheidsinstelling. Het glansde door overmatig gebruik.

The Crescent in Galway in ons antwoord op Harley Street, zeg maar: geld – heel veel geld. Oude panden die op de monumentenlijst stonden, bedekt met klimop en van boven tot onder in verval, met naambordjes bij de voordeur. Geen dokterstitels, het was een en al meneer, wat duidde op een adviseur en er vooral ook op duidde dat het een dure grap zou worden. Zoals men in de stad zei, 'Dat is een titel die je verdomme zult moeten verdienen.'

Deze oude, instortende huizen vormden de laatste barrière in een stad waar een wildgroei aan moderne bouw plaatsvindt. Projectontwikkelaars draaiden als hete brij om deze panden heen, wachtend op een gelegenheid – een sterfgeval in de familie, een faillissement – elk kansje, hoe klein ook, om stapels geld te bieden en het pand in handen te krijgen. Vervolgens strippen ze de binnenkant of maken ze het met de grond gelijk, en alsjeblieft, een compleet nieuw aanbod van luxeappartementen, die met elke opeenvolgende aankoop lelijker worden. Ik vond de gebouwen mooi zoals ze waren: met tochtige gangen, hoge plafonds, schimmel in de hoeken, vocht dat langs de muren omhoog kroop, zeer verdachte vloeren en leidingen – laten we daar maar niet eens over beginnen. Als je dat allemaal wilde vervangen, moest je de lotto winnen. En koud – het was er altijd stervenskoud. Het is een vreemd gegeven dat de rijken, de Anglo-Ieren, allemaal huizen hebben waarin het barstenskoud is. Dat verklaart waarom ze altijd een *Barbour* aanhebben en een dikke, wollen sjaal, en natuurlijk ook waarom ze altijd op vossenjacht zijn.

De meneer met wie ik een afspraak had, was een zekere meneer Keating. Hij had een tweed pak aan – geen witte jas voor dit soort types – en bejegende me met een lichte, aan sarcasme grenzende minachting. Hij voerde een hele reeks testen uit en ik zweer dat hij, net als de arts die Cody had onderzocht, voortdurend 'nou nou' mompelde zoals dat bij mijn weten alleen gebeurde in de boeken van P.G. Wodehouse.

Eindelijk was hij klaar. Hij zette zijn hand aan zijn kin en vroeg, 'Hebt u weleens een klap op uw hoofd gehad?'

Heel even bekroop me de bizarre gedachte dat hij me bedreigde, maar toen drong het tot me door dat het een vraag was.

Ik... een klap op mijn hoofd. Och Heer, waar moet ik beginnen?

Ik zei, 'Ik speelde vroeger hurling.'

Hij trok een grimas die evengoed een glimlachje zou kunnen zijn als op een scheet had kunnen duiden. 'En aangezien u een stoere vent was, had u toen zeker geen helm op?'

Fuck, we hadden amper genoeg geld voor de hurleys. Een helm? Ja joh, tuurlijk.

Hij zei, 'Ik kan natuurlijk een MRI laten maken, maar ik ben er vrij zeker van dat mijn eerste conclusie de juiste is.' Toen vervolgde hij, 'Uw linkeroor vertoont, dankzij een opgelopen beschadiging of wellicht eenvoudigweg vanwege uw leeftijd, sporen van degeneratie – bijzonder snelle degeneratie – en binnen afzienbare tijd zult u aan dat gehoororgaan volledig doof zijn.'

Degeneratie.

Wat een klotewoord.

Hij krabbelde iets op een schrijfblok.

'Dit is de naam van een uitstekende gehoorapparatenexpert. Hij zal er een bij u aanmeten.'

Ik deed mijn best hem bij te benen. 'Moet ik een gehoorapparaat in?'

Nu glimlachte hij.

'Er is op dat gebied een enorme sprong vooruit gemaakt. De nieuwste modellen vallen bijna niet op.'

Dat kon hij gemakkelijk zeggen.

Dat was het dus.

Hij zei, 'Mijn secretaresse zal u een factuur meegeven.'

Natuurlijk. Dat verstond ik dus wel heel duidelijk.

Ik stond al bij de deur toen hij eraan toevoegde, 'Als u de aandrang om hurley te spelen niet kunt onderdrukken, draagt u dan in het vervolg alstublieft een helm.'

Ik kon het niet laten, zei, 'Een beetje laat, denkt u zelf ook niet?'

Ik had afgesproken met Eoin Heaton. Hij zag er zo mogelijk nog sjofeler uit dan eerst, en uit de poriën van zijn huid walmde de geur van sterke drank naar buiten. Een muffe, wanhopige geur.

Hij stak van wal, 'Ik heb me zo'n beetje dag en nacht met dat hondengedoe beziggehouden.'

Tuurlijk, joh.

Ik staarde hem aan. Het was alsof ik in een spiegel keek, al die dagen die ik ook op die manier had verpest. We zaten in een cafeetje in een zijstraat vlak bij de Abbey. De eigenaar was een Rus die het van een Bask had overgenomen. Je ging je toch afvragen waar alle Ieren waren gebleven. We mochten dan misschien rijk zijn geworden, maar we waren absoluut in de minderheid. Volgens de laatste statistieken zou Ierland in 2010 een miljoen niet-Ieren tellen.

Heaton nam zwarte koffie en ik bestelde een koffie verkeerd, wat eigenlijk als cafeïne vermomd melkschuim is.

Heaton probeerde de kop naar zijn mond te brengen, maar zijn handen trilden te hard. Hij zei, 'Ik had eerst een rechtzettertje moeten nemen.'

Waarmee hij bedoelde, eentje om het af te leren, een glaasje tegen de nadorst en al die andere eufemismen die de overvloed van een flinke dosis alcohol moeten verhullen.

Hij stak een hand in zijn zak, vroeg, 'Heb je er bezwaar tegen, Jack?' en schoof een flesje Paddy mijn kant op.

De kleine fles, met daarin mijn eigen doodsvonnis, zag er heel onschuldig uit. Ik draaide de dop eraf, wierp een blik op de eigenaar, die elders bezig was, en schonk de drank in zijn kopje. Paddy is een van de sterkste whiskysoorten die er zijn en de geur was overweldigend. Ik hield het kopje bij zijn mond en hij wist de helft naar binnen te werken, danste toen de dodemansdans van verslikken, stikken, gorgelen, grimassen. Ten slotte bracht hij moeizaam uit, 'Ik denk... ik denk dat ik het wel binnen houd.'

Dat ging maar net goed.

En binnen een paar minuten, een totale transformatie.

Een duivels wonder, een en al duisternis, niet afkomstig van een verlichte plek. Zijn ogen traanden niet langer, een roze gloed verspreidde zich over zijn gezicht, en zijn handen beefden niet meer. Hij veranderde vanbuiten, rechtte zijn schouders en er lag een uitdagende trek om zijn mond. Ik wist echter – jezus, en of ik dat wist – hoe kortstondig dit zou zijn.

Ik hoorde hem vragen – eisend – 'Ben je doof of zo?'

Precies.

Ik vroeg, 'Wat?'

Hij zuchtte. 'Ik heb twee keer iets tegen je gezegd en je hebt geen antwoord gegeven.'

Als ik mijn rechteroor naar hem toekeerde, verstond ik hem beter, dus dat deed ik en ik zei, 'Zeg het nou nog eens.'

Overdreven langzaam zei hij, 'Die zaak die je me had toegespeeld? Er zijn weer twee honden verdwenen in Newcastle.'

Het sarcasme droop van zijn lippen.

Als hij me wilde besodemieteren, had hij daar het goede moment voor uitgezocht.

Ik snauwde, 'En wat ga je daaraan doen? Christus nog aan toe, je bent nota bene Guard geweest, maar een hondendief opsporen kun je niet?'

Hij deinsde als getroffen achteruit. Paddy biedt slechts beperkt steun.

Hij stamelde, 'Het... het... kost tijd om alles op een rijtje te krijgen.'

Ik gaf geen duimbreed toe, zei, 'Als het te moeilijk voor je is, zoek ik wel een ander, iemand die niet naar alcohol stinkt.'

Ik had hem gekwetst en had daar geen spijt van, totaal niet.

Hij zei onderdanig, 'Ik ben ermee bezig, Jack. Ik zweer het bij God, ik kan het, ik zal je niet laten barsten.'

Ik smeet een paar bankbiljetten op de tafel en toen hij ernaar gluurde, zei ik, 'Dat is voor de koffie.'

Zijn blik was die van een gedwee kind en hij vroeg, 'Kun je me misschien wat voorschieten?'

Zonder na te denken antwoordde ik, 'Zodat je het weer op een zuipen kunt zetten? Ik wil eerst resultaten zien, dan hebben we het er wel over.'

Toen ik me omdraaide en wilde weglopen, zei hij, 'Wat ben jij een keiharde schoft.'

Ik glimlachte. 'En dan heb ik vandaag nog wel een goede dag, kerel.'

En toen die stilte... Totaal onverwacht werd ik omgeven door een spookachtige stilte, alsof alles stil was blijven staan. In het begin dacht ik dat het misschien het gevolg was van mijn ooronderzoek, een soort vertraagd effect, een naschok, zogezegd. Maar nee, het was een allesoverheersende stilte van het soort dat overlevenden beschrijven wanneer ze het moment voorafgaand aan een ramp in woorden proberen te vangen. Ik hoorde letterlijk niets. Ik liep, maar hoorde mijn eigen voeten niet op de weg. Ik was geschrokken, maar nog niet in paniek. En toen…

Toen ging mijn gsm.

Ik haalde met een bonkend hart de telefoon uit mijn zak en drukte op de kleine groene toets.

‘Meneer Taylor?’

‘Ja?’

‘U spreekt met het ziekenhuis. U kunt maar beter hier naartoe komen.’

‘Wat, is het Cody? Is alles goed met hem?’

‘Komt u alstublieft zo snel mogelijk hier naartoe, meneer Taylor.’

Verbinding verbroken.

Ik geloof niet echt meer, maar deed toch een poging, ‘O God, zorg dat alles goed met hem is. Ik zal me beter gedragen.’

Wat ik met dat ‘beter gedragen’ bedoelde, kon ik niet zeggen.

11

... en branden in de hel

Maria Willis kon zich maar niet over de dood van haar broer heen zetten. Dat hij was gekruisigd verergerde de gruwelijke gedachten in haar hoofd alleen maar. John was een zachtaardige jongen geweest. In een wereld vol chaos, wreedheden en pure onverschilligheid was hij bijna als een kind geweest. Ze had altijd de neiging gevoeld op hem te passen. De vraag of hij aan haar had gedacht toen ze de spijkers door zijn handen sloegen, bleef door haar hoofd spoken.

Het enige waar ze wat troost uit putte, was naar Salthill rijden en daar naar de oceaan kijken. Het kalmeerde haar, waarom wist ze niet, maar het verlichtte gewoon het diepe leed dat ze in haar hart droeg.

Op donderdagavond stond ze er weer, vlak bij de oude danszaal geparkeerd. Haar ouders hadden daar op de muziek van showorkesten gedanst. Vóór de dramatische gebeurtenissen kon haar vader de namen van de orkesten als een rozenkrans opsommen en ze gleden dan met duidelijk zichtbaar plezier over zijn lippen: het Clipper Carlton, het Regal, Miami, Brendan Bowyer met zijn beroemde dans, de Hucklebuck. Haar moeder en hij hadden die laatste eigenaardige danspas één keer gedemonstreerd. Het hield in dat je met beide voeten over de vloer gleed en je bewoog alsof er een hazewindhond aan je kont hing. Ze hadden allemaal op de grond gelegen van het lachen en haar moeder had gepassioneerd opgemerkt, 'Jullie kunnen er nu wel om lachen, maar die dans was in het hele land een rage.'

Maria zou haar ziel hebben gegeven om weer in die keuken te zitten en haar ouders bezig te zien, badend in het zweet, met stralende gezichten, en haar lachende broers, ook al deden ze hun best er onverschillig uit te zien.

Een tikje op het raampje van haar auto. Ze keek op en zag een meisje staan met wilde haren, zware mascara om haar ogen en geheel in het zwart gekleed, met achter haar een jonge man. Het meisje was

zo'n – hoe noemden ze hen ook alweer? – Goth?
Ze draaide het raampje open en vroeg zich af of ze soms geld wilden hebben. Het meisje zei met een Engels accent, 'Het spijt me verschrikkelijk dat we je lastigvallen, maar we moeten je iets vertellen over je broer.'

Maria was overdonderd en toen het meisje het portier openmaakte, liet ze haar gewoon haar gang gaan. Het meisje nam naast haar plaats en de man – of eigenlijk jongen – stapte achterin. Maria vond het niet prettig dat hij achter haar zat.

Het meisje glimlachte geruststellend en zei, 'Het moet vreselijk zwaar voor je zijn geweest, de akelige manier waarop John is gestorven. Hij moet ontzettend hebben geleden.'
Maria meende iets van spot in de woorden te horen en de ogen van het meisje hadden beslist iets… kwaadaardigs. Ze had er nu spijt van dat ze hen zomaar in de auto had laten stappen.
Het meisje zei, 'Verdriet sloopt je, vind je ook niet?'

Maria wierp een blik door de voorruit, maar er was niemand te bekennen. Het was een kille avond en de gebruikelijke wandelaars waren thuis gebleven.

Ze vroeg, 'Je zei dat je me iets moest vertellen over… John?' Alleen al het uitspreken van zijn naam deed pijn.

Het meisje rommelde in haar tas. Ze haalde een aansteker tevoorschijn en vroeg, 'Rook je?'

De jongen greep haar van achteren vast, hield haar in een ijzeren greep gevangen.

Het meisje pakte nu een blikje benzine, goot deze leeg over Maria en zei, 'Even volgooien, meid.' Toen klikte ze de aansteker aan, deed ze het portier van de auto open en zei ze met een glimlach rond haar lippen, 'Nu ga je in de pan,' en ze stak Maria's jas in brand. Er begon meteen iets te sissen en Maria had durven zweren dat ze de jongen hoorde zeggen, 'Het spijt me.'

Ze waren halverwege de boulevard toen de vlammen de tank bereikten. De ontploffing klonk ondraaglijk hard.

Het meisje maakte een balletpasje en gilde keihard, 'Goed gedaan, meid.'

12

Het ontstaan van de vlammen...

Het meisje deed haar ogen open. Ze had liggen soezen en was nu plotseling klaarwakker. Ze nam haar omgeving in zich op, de afgrijselijke kamer die in scherp contrast stond met het huis dat haar moeder had onderhouden. En vocht, het hele huis stonk ernaar. De schuld van het Ierse weer? Nee, gewoon een gierige huisbaas.

Er krulde een lachje om haar mond en ze dacht, *die kunnen we ook in de vlammen smijten.*

Terwijl ze dit dacht, ving ze de geur van rook op, een vuurtje niet al te ver bij haar vandaan, en ze liet zich door het aroma omarmen, opvrolijken.

Ze reageerde verheugd en giechelde even, sloeg toen haar armen om haar magere lijf en koesterde het grimmige feit dat ze nu twee mensen had gedood. Ze voelde een enorme golf van adrenaline en macht, net een nieuw soort roes. En toch was ze nog steeds teleurgesteld. Meer... ze had meer nodig.

Uit een ooghoek zag ze een vlam oplaaien. Hij begon in de hoek van de kamer en kroop langs de muur, maar toen ze zich omdraaide om ernaar te kijken, verdween hij. Steeds wanneer dit gebeurde, wat steeds vaker het geval was, keek ze naar de mensen om haar heen om hun reactie te peilen. Ze kon niet geloven dat zij niets hadden gezien – maar nee, blijkbaar merkten ze niets. Dit sterkte haar in haar vermoeden dat de duisternis háár had uitgekozen. Alleen zij kon het sinistere plan, de kwaadaardige blauwdruk van wraak, horen en uitvoeren.

Haar hartslag versnelde wanneer ze het vuur zag oplaaien.

Ze dacht terug aan de vlucht naar Ierland met Aer Lingus, aan het cabinepersoneel dat had gevraagd of ze op vakantie gingen. Er hadden vlammen gebrand in de hoek van de cabine – zagen zij die niet? Ze had geglimlacht en gezegd, 'Ja inderdaad, een familie-uitje. We

gaan echt genieten.' Ze had even gewacht en er toen aan toegevoegd, 'Onze moeder is daar al.'
Het personeel had het verfrissend gevonden zo'n hecht gezin te ontmoeten en beloofde, 'Jullie zullen Ierland vast fantastisch vinden.'

Ze had haar blik losgerukt van de vlammenzee die ze langs de vleugels van het vliegtuig zag trekken en geantwoord, 'En Ierland zal ons fantastisch vinden.'

13

Niets is zo erg als het verlies van een kind

Ik had een taxi naar het ziekenhuis kunnen nemen, maar ik wilde het nieuws dat ik vreesde te zullen horen zo lang mogelijk uitstellen.

Cody was bij me gekomen met het verzoek mijn partner te mogen worden, en was een mengeling van naïviteit, gespeelde Amerikaanse snoeverij, ergernis en provocatie.

Toen gebeurde er iets wonderbaarlijks. Ik wil niet metromannerig klinken, maar... ach fuck, we kregen een band met elkaar. Ik begon van dat jong te houden. Hij was zo irritant als wat, maar kon dan opeens iets doen wat me in mijn hart raakte, zoals dat dure leren jack dat hij voor me kocht. Ik had het aan toen hij werd neergeschoten, de voorkant zat onder zijn bloed. Ik heb het verbrand.

We hebben één onvergetelijke dag meegemaakt, zijn naar een hurlingwedstrijd gegaan, hebben de sjaal van het team gekocht, als gekken lopen krijsen, een enorm super-de-luxe maal gegeten en elkaar aan het eind van die volmaakte dag bijna omhelsd.

Ik was toen wat ik maar heel, heel zelden ben geweest – ik was gelukkig.

Maar *me croi briste*... m'n hart is gebroken.

Laat ik het zo zeggen: de Ierse goden geven aan degenen die ze te gronde willen richten eerst een sprankje vreugde. Dat flikken ze mij tenminste steeds weer en vaak ook.

Die dag vroegen een paar mensen of hij mijn zoon was. Ik vond het prachtig en ging hem inderdaad als zodanig beschouwen. Een kans op een gezin, de droom die ik van mezelf nooit mocht hebben.

Toen de sluipschutter al die gaten in hem schoot, brandden de schoten een wond in mijn ziel die nooit zou helen.

Ik had me een slag in de rondte gepiekerd over de vraag wie er achter de schietpartij zat. De stalker die ik voor Ridge had aangepakt, had een degelijk alibi; Cathy Bellingham, de vrouw van mijn beste vriend Jeff, had absoluut een steekhoudende reden – ik was verantwoordelijk voor de dood van haar drie jaar oude dochtertje – maar zij was spoorloos verdwenen en ik voelde niet de aandrang haar snel op te sporen. De derde mogelijkheid was Kate Clare, de zus van Michael die wellicht een zekere pastoor Joyce had onthoofd, en die ik tot aan de poorten van de hel had achtervolgd. Een van de akeligste kanten hieraan was nog wel dat ik Michael Clare graag mocht, en tering, als slachtoffer van misbruik door geestelijken had hij al vóórdat hij zichzelf van het leven beroofde zwaar geleden onder de kwelling van verdoemenis. Kate bleek naar het Verre Oosten te zijn vertrokken en haar huidige verblijfplaats was onbekend.

Eerlijk gezegd kon het me niet eens schelen wie de schutter was. Ik wilde alleen Cody weer terug, dan rekende ik later wel met de schutter af, wie het ook was. Afrekenen in de bijbelse zin van het woord.

Mijn hart bonsde in mijn keel toen ik bij het ziekenhuis aankwam. Ik liep naar de afdeling en werd daar aangesproken door een verpleegster. Ze kende me van mijn dagelijkse bezoekjes, sprak me zelfs bij mijn voornaam aan.

Ze zei, 'O, Jack, ik vind het zo erg voor je.'

Het begon te draaien voor mijn ogen, maar voordat ik zelfs maar op adem kon komen, kwam een echtpaar naar me toe lopen en de verpleegster zei, 'Dat zijn Cody's ouders.'

Ze hadden die blik op hun gezicht. Die afschuwelijke blik van puur ongeloof.

De man, eind zestig, met een goed pak aan en zijn gezicht vertrokken van woede, gromde, 'Ben jij Taylor?'

Ik knikte, nog altijd verbijsterd door de betekenis van de opmerking van de verpleegster.

Hij spuugde in mijn gezicht.

'Door jou is onze zoon vermoord, vuile klootzak.'

Zijn vrouw trok hem achteruit en terwijl ze hem door de gang meesleurde, schreeuwde hij, 'Ik hoop dat je in de hel zult branden.'

Er viel letterlijk één seconde stilte – zo'n afgrijselijk ogenblik van indringende stilte waarin een verschrikkelijke vloek wordt uitgesproken over een menselijk wezen. Alle aanwezigen verstarden in een tableau van diepe geschoktheid.

Mijn benen begonnen te trillen. En dan bedoel ik niet zachtjes, maar zo'n heftige rilling die de voorbode is van een complete instorting.

Het uur dat daarop volgde is wazig. Ik denk dat ik heb gevraagd of ik Cody mocht zien, maar zeker weten doe ik het niet. Om een of andere bizarre reden belandde ik in het restaurant van het ziekenhuis, met een kop koffie voor mijn neus en compleet in de vernieling.

'Gaat het een beetje?'

Ik keek op en zag een vrouw van eind veertig zitten met een oerdegelijk gezicht, lang, donker haar, enorme ogen en – vreemd dat je hersens op een bepaald niveau blijven functioneren – een licht accent. Engels was niet haar moedertaal.

Ik vroeg haast beschuldigend, 'Jij bent geen Ierse?'

Ze glimlachte voorzichtig. 'Heb je liever een Iers iemand dan?'

Fuck, wat was hier aan de hand?

Ik zei, 'Ik heb helemaal niemand nodig.'

Heel even leek het erop alsof ze mijn hand zou aanraken en dat zou een heel stomme fout zijn geweest. In plaats daarvan zei ze, 'Je hebt verdriet. Heb je iemand verloren?'

Mijn oude bondgenoot, woede, stond klaar om toe te slaan. Ik liet me gaan en snauwde, 'Wie ben jij, goddomme? Laat me met rust.'

Ze stond op, zei, 'Ik heet Gina. Ik voel dat je een goed mens bent en ik kan je helpen,' en ze schoof een visitekaartje naar me toe.

Ik zei, 'Hoop dat je dan ook voelt dat ik wil dat je opdondert.'

Dat deed ze.

Ik weet niet waarom – waanzin, waarschijnlijk – maar ik stopte het kaartje in mijn zak.

Ik ging naar buiten en het regende flink. Ik mompelde, 'Mooi, misschien ga ik wel dood aan een longontsteking.'

Buiten bij de hoofdingang van het ziekenhuis ging de deur bijna schuil achter een waar wolkendek. Niet van het weer, nee... rokers, als angstige lepralijders op een kluitje samengedromd. Het rookverbod was nu een jaar oud en dergelijke groepen maatschappelijke bannelingen vormden een vertrouwde aanblik, 's winters verstijfd van de kou, 's zomers vrolijk lachend – voor zover je in Ierland tenminste van een zomer kunt spreken.

Het ontstaan van nicotineliefdes had tot een nieuwe term geleid. Mensen raakten aan de praat; door hun gedeelde verslaving gingen sociale barrières die normaal gesproken minder gemakkelijk werden geslecht, nu letterlijk in rook op. Flirten was dus 'slirten' geworden... Flirten met een sigaret.

Ik tastte naar mijn pakje peuken, herinnerde me opeens dat ik niet meer rookte, en ook al niet meer dronk. Nee, ik had het te druk met alles om zeep helpen waar ik iets om gaf.

Als een van de rokers mijn gebaren had opgemerkt en me er een had aangeboden, had ik die waarschijnlijk aangenomen. Mijn blik was op de River Inn gericht, die duidelijk zichtbaar was vanaf de plek waar ik stond. Ik zette me in beweging.

Ik was al bij de toegangspoort van het ziekenhuis toen iemand zei,

'Jack?'

Fuck, wat nou weer?

Een man van begin dertig, netjes, maar sportief gekleed, een knappe gozer, maar hij had iets behoedzaams. Dat was de sleutel voor mijn geheugen.

'Stewart?'

Mijn vroegere drugsdealer. Hij was opgepakt, tot zes jaar veroordeeld en had mij toen in de arm genomen om de dood van zijn zus, zogenaamd door een ongeval, te onderzoeken. Die zaak was een van de zwaarste waarbij ik ooit betrokken was geweest en had geleid tot het overlijden van Serena May, het kindje met downsyndroom van Jeff en Cathy.

Hij glimlachte, een glimlach zonder ook maar een greintje warmte. Ik neem aan dat warmte niet tot je eigenschappen behoort wanneer je in de bak hebt gezeten. Die ene keer dat ik hem in de gevangenis had opgezocht, was zijn voortand eruit geslagen en dat was alleen nog maar wat zichtbaar was. Ik zag dat de tand was vervangen. En zijn ogen – toen ik hem voor het eerst ontmoette waren zijn ogen vol energie geweest, maar nu waren het poelen van graniet.

Hij vroeg, 'Alles goed? Je ziet eruit alsof er iemand is doodgegaan.'

Hoe moet je daarop reageren? Aan zijn voeten neervallen en janken als een klein kind? Stoer doen en zeggen, 'Och, da's niet belangrijk, man.'

Ik zei, 'Er gaan de hele tijd mensen dood.'

Hij liet dit even bezinken, zei toen, 'Ik heb een nieuwe flat, iets verderop aan deze weg. Zin om een borrel te komen drinken...?'

Hij zweeg even, ging toen verder, 'Of een kop koffie?'

Mijn drankverleden was bij Jan en alleman bekend. Ik zei, 'Waarom niet?' en we liepen samen in de richting van de St. Joseph-kerk. Voordat we kans zagen een gesprek te beginnen, reed een auto van de Guards langs en onderwierpen de agenten ons aan een kille, onderzoekende blik.

Stewart keek de langzaam voorbijrijdende auto na en toen ze ons waren gepasseerd, merkte hij op, 'Ze laten je nooit verdergaan met je leven.'

Zo is het maar net.

Zijn flat was dicht bij Cook's Corner. Aan de muur van de pub daar, die haast monumentale waarde bezat, hing een TE KOOP-bord, maar aan welk gebouw hing dat nu niet?

Cook's Corner is letterlijk een kruispunt waar drie straten bijeenkomen. Je kunt Henry Street in lopen, waar het kanaal je aan beide kanten murmelend verwelkomt, of omkeren en in noordelijke richting naar Shantalla gaan, waarvan de letterlijke vertaling 'oude grond' luidt en wat nog altijd de thuisbasis is van een aantal van de beste, oprechtste mensen die je ooit zult tegenkomen. Of je loopt terug in de richting waaruit ik was gekomen, naar het ziekenhuis. Er was nog een vierde optie, maar daarover werd nooit gesproken: de route naar Salthill. Jaren geleden had die naar Taylor's Hill geleid (geen familie) en onderdak geboden aan de hogere klassen. Als je geld had of je verbeeldde dat je heel wat was, woonde je daar. Het gewone volk, dat geen geld had en niets van verbeelding moest hebben, verwees er dan ook nooit naar. De tijden veranderden echter en Cook's pub stond op het punt de deuren open te gooien voor allerlei speculanten die opeens belangstelling toonden voor wat altijd was afgedaan als het arme gedeelte van de stad.

Denk je dat ik een grapje maak?

Alleen al op dit stuk zitten drie winkels van liefdadigheidsinstellingen.

We gingen een eenvoudig, twee verdiepingen tellend pand in en hij deed een deur op de begane grond open, zei, 'Welkom in mijn nederige stulpje.'

Ik had nooit gedacht dat mensen zulke clichés echt gebruikten. Wat was het volgende, *mi casa es su casa*?

Ik had huizen en appartementen in alle vormen en maten gezien, en de meeste daarvan hadden er vanwege armoe, verwaarlozing of soms ook beide, kaal bij gestaan. Shit, ik was zelf in zo'n huis opgegroeid. We hadden een paar stukken huisraad, en tijdens één bijzonder koude winter hadden we de keukenstoelen als brandhout gebruikt.

Nu denk je zeker dat ik het over het Ierland van de vorige eeuw heb – was dat maar waar. Mijn vader werkte hard, maar er waren momenten dat er gewoon geen werk was. Dan bracht mijn moeder zijn beste en enige pak naar de lommerd. Dezelfde lommerd die nu in Quay Street is gevestigd, de hipste buurt van onze nieuwe, rijke, schitterende maatschappij.

Stewarts woning was het kaalste onderkomen dat ik ooit had gezien en ik had nota bene Thomas Mertons cel op foto's gezien. Er stond één stoel met een rechte rug, een piepkleine bank, en aan de muren hingen twee ingelijste citaten.

Stewart vond mijn reactie vermakelijk.

'Kaal, hè?'

Ik ademde uit, zei, 'Trek je er net in of ga je alweer weg?'

Hij spreidde zijn handen in een hulpeloos gebaar.

'Je leert heel veel dingen in de gevangenis – willekeurige wreedheid, bijvoorbeeld, en dat zijn dan alleen de cipiers nog maar; en wat nog belangrijker is, de gelukzaligheid van het niets. Ik heb zenmeesters bestudeerd, nog heel even en dan ben ik stil.'

Ik had zin om bijdehand te doen, te zeggen, *in welk opzicht*'

Zei echter, 'De enige zen die ik ken, is praktisch van aard.'

Hij wachtte, dus ik mompelde,

'Na de extase.

De was.'

Hij lachte, en het klonk zelfs een beetje vriendelijk.

'Typisch iets voor jou, Jack. Echt iets waar jij voor zou kiezen.'

Ik had natuurlijk kunnen tegensputteren, maar de waarheid was dat ik niet om Cody heen kon. Ik zag in gedachten voor me hoe hij die ene keer met de nieuwe visitekaartjes in zijn hand voor me had gestaan, op zijn gezicht een gretige glans van verlangen mij een plezier te doen. Ik huiverde en mijn hele lijf begon te trillen.

Stewart zei, 'Rustig aan, man. Ga zitten, dan haal ik wat voor je.'

Ik ging op de harde stoel zitten, dat spreekt voor zich – je moet het jezelf niet te gemakkelijk maken – en Stewart kwam terug met een glas water en twee tabletten.

'Neem deze maar in.'

Ik hield ze vast in de palm van mijn hand, zei, 'Ik dacht dat je dat drugsgedoe wel zat zou zijn.'

De belediging deerde hem niet. Hij gebaarde dat ik het spul moest innemen en dat deed ik, en ik spoelde het weg met het water. Hij zei, 'Ik handel niet meer, maar ik heb wel wat… onontbeerlijke zaken op voorraad. Ik ben uit de gevangenis, maar dat betekent niet dat ik alles ook helemaal achter me heb gelaten. Soms word ik 's nachts wakker, badend in het zweet – dan ben ik daar weer terug en probeert een of andere gestoorde idioot uit zo'n achtergebleven boerengat zijn pik in mijn achterwerk te steken. Ik geloof niet dat ik jou hoef uit te leggen wat een paniekaanval is, Jack.'

Beitel dat maar in een stuk Connemarasteen, of beter nog: zen het er maar in.

Zijn gsm ging over en hij zei, 'Ik moet even opnemen. Blijf even zitten en wees heel stil.'

Hoe staat het ook alweer in de Bijbel? Staak de strijd en erken?

Erkennen in de zin van de uitdrukking: da's balen.

Ik zapte in gedachten weg, zocht naar die plek van het witte niets. De geest sluit zich af, je hoort een zacht gezoem, en als je je eigen ogen kon zien, zou je daarin een glazige, nietsziende blik vinden.

Toen Stewart terugkwam, keek ik op mijn horloge en er was bijna een uur verstreken. Ik voelde me ontspannen, relaxed, bedaard, fuck, had godzijdank geen pijn.

Ik stond op, liep naar de muur, las een van zijn ingelijste citaten. Er stond:

HET FUNDAMENTELE WAANBEELD VAN DE WERKELIJKHEID IS DE VERONDERSTELLING DAT IK HIER BEN EN JIJ DAAR.

Het was toegeschreven aan een zekere Yasutani.

Ik zei, 'Diepzinnig.'

Stewart dacht even na, zei toen, 'Op het gevaar af in herhaling te vallen: ik denk dat dát ook op jou van toepassing is.'

Ik weet niet wat voor pillen het waren, maar ze deden absoluut hun werk. Ik voelde me heel rustig, iets wat mij net zo vreemd is als vriendelijkheid, en ik kon heel helder denken.

Toen pas drong het tot me door hoe zwaar mijn hoofd al die tijd belast was geweest met al mijn angst, verdriet en bezorgdheid om Cody. Kun je doortrokken zijn van triestheid, doordrenkt in droefheid, een wandelend hoopje melancholie?

Ik wel.

Ik vroeg, 'Heb je weleens van Craig McDonald gehoord?'

Hij staarde me zwijgend aan.

'Hij was redacteur bij een krant in Ohio en werd een bestsellerauteur. Hij heeft een roman geschreven over verdriet waarvan je schele hoofdpijn krijgt,' zei ik.

Hij dacht hier even over na, zei toen, 'Echt een boek voor jou.'

Ik zuchtte. 'Door erover te lezen krijg je het gevoel dat je niet alleen bent.'

Hij overhandigde me een potje pillen. 'Meer van hetzelfde. Als je

een paniekaanval voelt opkomen, gewoon een paar van deze fijne pilletjes innemen en lekker chillen, man.'
Hij sprak de Amerikaanse uitdrukking nogal boosaardig uit.

Ik zei, 'Je hebt me verdomd goed geholpen.'

Hij schokschouderde en ik kon het niet laten, vroeg, 'Waarom?'

Hij keek verrast op, nam even de tijd om zich te herstellen, zei, 'Je hebt aangetoond dat de dood van mijn zus geen ongeval onder invloed van alcohol was, dus sta ik bij je in het krijt.'

Daar moest ik niets van hebben. 'Ach, joh, je hebt me ervoor betaald, goed betaald ook. De schuld is ingelost, de zaak gesloten, je kunt het van je afzetten.'

Hij glimlachte, een glimlach met een drupje droefheid erin, zei, 'Jij wilt dit natuurlijk helemaal niet horen, omdat je zo'n stoere jongen bent en zo. Het gezicht dat jij graag aan de buitenwereld toont – die oude Jack Taylor laat zich door niets en niemand kisten. Maar ik – ik zie dat dus anders. Ik mag je. Tuurlijk, je kunt af en toe een eikel zijn en God weet dat je aardig onbehouwen bent. Maar als puntje bij paaltje komt, ben je ook iets wat heel zeldzaam is, een fatsoenlijk mens. Met gebreken, fuck nog aan toe, met meer gebreken dan de meesten van ons, maar je bent niet gevoelloos. En neem maar gerust van mij aan dat ik na mijn tijd in Mountjoy echt wel een expert ben op het gebied van menselijke gevoelloosheid.'

Mooie speech.

Ik maakte aanstalten om te vertrekken, zei, 'Je hebt een hogere dunk van me dan ik verdien, maar... dank je.'

Hij gaf me een visitekaartje.

'Mijn telefoonnummers. Als je wilt praten, wat zen kunt gebruiken, dan weet je me te vinden.'

Ik moest het weten. 'Verkoop je nog altijd drugs?'

Dat kwam hard aan en hij trok even een pijnlijk gezicht. 'Zoals ik net al zei, je bent een beetje onbehouwen, maar of ik nog deal? Ja hoor, alleen geen drugs.'

Hij weigerde meer te zeggen, dus ik schudde zijn hand, wat hij grappig vond, en weg was ik.

De dronkenlap en de dealer, een koppel dat elkaar in een ogenblik

van onwerkelijke tederheid had gevonden. Ach, wat weet ik er ook van? Tederheid is mijn specialiteit niet.
Ik mompelde hardop, 'Stil...?'
Zo zen als maar kan zijn.

14

En aan dit kruis…

De volgende dag werd ik gebeld door de verpleegster met wie ik in het ziekenhuis vriendschap had gesloten en ze vertelde me waar en wanneer de begrafenis zou zijn, maar opperde met ongeruste stem, 'Meneer Taylor, misschien is het beter dat u daar niet naartoe gaat.'

Ik wist niet goed wat ik moest zeggen, had het gevoel alsof ik een knal voor mijn kop had gekregen.

Ze ging snel verder, 'Zijn ouders, ze... ehm... ze eisen dat u... weg wordt gehouden.'

Ik antwoordde, 'Ik begrijp het.'

Dat was niet zo.

Ze was een goed mens en die zijn net zo zeldzaam als doodgewone beleefdheid. Ik zei, 'Dank u wel voor al uw hulp.'

Haar afscheidswoorden waren, 'We weten dat u van de jongen hield. We maken aan de lopende band mee dat patiënten aan hun lot worden overgelaten, maar u kwam elke dag en dat deed u duidelijk niet alleen uit plichtsbesef. God zegene u, meneer Taylor.'

Fuck.

Openlijke vijandigheid, als ze me een preek had gegeven, had gedreigd dat ik het niet in mijn hoofd moest halen om te gaan, daartegen was ik beter opgewassen geweest. Van vriendelijkheid raakte ik alleen maar in de war. Bovendien had ze het mis, ik had Cody echt niet puur uit liefde bezocht. Schuld speelde wel degelijk een rol en ik had elke seconde vreselijk gevonden.

Toen ik weer in mijn flat zat, met Stewarts potje met pillen in mijn hand, werd er op de deur geklopt. Ik zette de pillen op tafel en deed open.

Ridge.

Ze zag er niet best uit, alsof ze al dagenlang geen oog had dichtgedaan. Ze had haar uniform aan. Ik had haar niet vaak in haar Ban Gardai-uitrusting gezien en ze straalde bepaald geen gezag uit, zag er eerder uit als een meisje dat politieagentje speelde. Haar ogen waren roodomrand en ze – kon het echt waar zijn? – ze rook naar alcohol.

Ridge?

Ik zei, 'Kom binnen.'

Dat deed ze, en ze liep alsof ze de problemen van de hele wereld op haar schouders meetorste. Ze ging op de bank zitten, liet zich erin wegzakken.

Ik vroeg, 'Iets te drinken – thee, koffie, glas water?'

Het duurde even voordat ze antwoord gaf en ik begon al te denken dat ze misschien was ingedommeld, maar toen zei ze, 'Ik wil een borrel. Wat heb je?'

Ze had me jarenlang verrot gescholden vanwege alcohol. Me bestookt met preken en getier over mijn drankgebruik, en nu wilde ze een borrel *van mij*?

Ik kon me niet inhouden, snauwde, 'Je wilt een borrel *van mij*?'

Ze zei treurig, 'Als iemand het kan begrijpen, ben jij dat wel.'

Ridge was door de jaren heen best onbeschoft tegen me geweest, maar dit trof me op een manier die ik niet eens wílde doorgronden. Ik wist niet goed hoe ik moest omgaan met een Ridge die kwetsbaar was.

Ze zei, 'Ik ben van slag door die dode.'

Nu was ik, om met haar woorden te spreken, ook *van slag*. Ze kende de Cody niet eens.

Ik schreeuwde, 'Je kende hem niet eens.'

Ze schoot overeind, keek me aan, vroeg, 'Hem? Waar heb je het over? Het is geen hem – het gaat om de zus van die jongen, Maria.'

Mijn wazige blik maakte haar razend en ze krijste bijna, 'Die gekruisigde jongen. Je bent hem nu al vergeten, ook al had je beloofd het te onderzoeken. Nou, laat maar zitten. Ze hebben zijn zus, Maria, in haar auto verbrand. Ze kon alleen aan de hand van haar rijbewijs en gebit worden geïdentificeerd. De rest... de rest was... was goddomme goed doorbakken.'

De kamer danste voor mijn ogen. Ik kon niet bevatten wat ze had gezegd en moest bij de muur steun zoeken.

Ze stond op, bezorgd nu, vroeg, 'Jack? Jack, gaat het wel goed met je?' Stak haar hand naar me uit.

Ik duwde haar weg, haalde een paar keer diep adem en kwam langzaam tot bedaren.

Ze deinsde achteruit, vroeg toen, 'Je zei *hem*. Wie bedoelde je daarmee?'

Mijn keel kneep samen, alsof er iets vastzat.

Uiteindelijk bracht ik moeizaam uit, 'Cody is dood. Inderdaad, die schooier heeft net de geest gegeven en weet je wat? – dit vind je geheid prachtig – zijn familie wil me niet bij de begrafenis hebben. Wat zeg je daarvan?'

Ze liet zich weer op de bank vallen en zei, 'Je moet ergens alcohol voor me gaan halen, begrepen?'

Ach fuck, waarom ook niet.

De wereld stond compleet op zijn kop, dus op een geschifte Ierse manier was het nog logisch ook. Ik zei met een opgewekte, feestelijke stem, 'Geen probleem, joh. Blijf jij maar lekker zitten, dan ga ik doen waar ik goed in ben, namelijk jajem kopen.'

De vent van de slijterij kende me, en terwijl ik een mandje vollaadde met wodka, mixdrankjes, Jameson, hield hij me achterdochtig in de gaten. Ik mikte er wat pinda's en chips bij, en vroeg, 'Hoeveel is dat?'

Hij wist dat ik al een hele tijd droogstond en opende zijn mond al om iets te zeggen, maar ik staarde hem nijdig aan, daagde hem uit het te proberen. Ik had hem zó over de toonbank gesleurd. Hij sloeg alles aan.

Tijdens het betalen zei ik, 'Toch wel fijn dat ik niet rook, hè?'

Hij zei niets.

Eikel.

Mijn gsm ging over. Ik haalde hem uit mijn jaszak. Ik had last van mijn oren – waarvan eigenlijk niet? – maar ving half op,

'Jack, met Eoin Heaton.'

Het klonk alsof hij bezopen was.

'Fuck, wat moet je?'

Hij was totaal overdonderd, ik hoorde het aan zijn ingehouden adem, en hij zei, 'Ik heb die hondenontvoerders gevonden.'

Allejezus.

Honden? Nu?

Ik zei, 'En nu wil je zeker een medaille? Denk eens terug aan toen je Guard was. Toon initiatief, los die teringzaak zelf op.'

Er lag een klank in zijn stem die ik had moeten oppikken. Hij zei, 'Ja, maar Jack...'

Ik liet hem niet uitpraten, zei, 'En laat je vooral niet omkopen, hè? Is dat niet de reden dat ze je uit het korps hebben geflikkerd?'

Ik ging terug naar mijn flat en smeet de tas met drank op tafel.

'Ik wist niet wat ik moest halen, dus ik heb van alles en nog wat gekocht.'

Ze wuifde nonchalant met haar hand, dus ik maakte de wodka open, schonk een naar mijn idee gezonde portie voor haar in, gooide er wat water bij en overhandigde het glas aan haar. Ze griste het uit mijn hand, gooide de helft naar binnen, slaakte een diepe zucht. Ik durf te zweren dat ik het spul in mijn eigen maag voelde stromen. Ik liep naar de keuken, zette wat koffie, pakte twee van Stewarts pillen en nam ze in.

Bizar aspect van verslaving: hoewel je weet dat de pillen helpen, je ervan ontspant, zou je ze in een oogwenk ruilen voor de overdonderde dreun, de onmiddellijke roes van onaangelengde alcohol.

Ik ging terug naar Ridge, nam in de stoel tegenover haar plaats, vroeg, 'Wanneer is het meisje vermoord?'

Ze tuurde in haar inmiddels lege glas met de uitdrukking die zo vaak op mijn gezicht had gelegen. *Hoe kan dat nou*?

Ze antwoordde met een doodse, vlakke stem, 'Ik ben al achtenveertig uur aan één stuk aan het werk. Ik hoorde de arts zeggen dat ze was afgefikt – dat was het woord dat hij gebruikte, net een Amerikaanse televisieserie.'

Ik bood haar geen nieuw drankje aan. Mijn aandeel zat erop. Als ze zich wilde bezatten, mocht ze dat helemaal zelf doen.

Ik zei, 'Het is dus wel duidelijk dat iemand het op dat gezin heeft voorzien. We hebben geen drugsverband gevonden, geen vete.'

Opeens bedacht ik iets.

'Heb je nog iets over die andere broer ontdekt?'

Ze pakte haar opschrijfboekje, zo'n loodzwaar geval dat ik al die jaren bij het korps ook bij me had gehad. Ik voelde een korte steek vanwege het verleden. Ze schreef als een bezetene.

Ze zei, 'Ja, hij heet Rory. Hij zit in Londen, maar we hebben hem nog niet te pakken gekregen.'

Ik had me over haar heen gebogen en ze deinsde opeens achteruit, vroeg, 'Wat moet dat zo vlak bij mijn gezicht? Ben je soms doof of zo?'

Ik vond dit niet het juiste moment om mijn nieuwe zorg met haar te delen.

Ze stond al. Terwijl ze haar jas dichtknoopte, zei ze, 'Ik maak er meteen werk van.'

Ik maande, 'Zou je niet eerst even gaan slapen? Als ze die wodka op je adem ruiken, is dat niet best.'

Met een felle, agressieve blik zei ze, 'Ze kunnen me wat.'

Zo zag ik haar veel liever.

Ik wees naar de drank. 'Wat moet daarmee gebeuren?'

Haar ogen zagen zo zwart als kool. 'Je verzint vast wel wat.'

Zo zag ik haar weer iets minder graag.

15

'Doorkruis mijn plannen en ik maak je af.'

Oud Galways dreigement

Het meisje speelde met het zilveren kruisje dat ze om haar nek droeg. Ze wist dat haar vader en broer geen van beide begrepen wat het kruis voor haar en haar moeder had betekend.
Haar moeder was een fervente Ierse katholiek geweest, en na haar huwelijk met een Engelsman was haar hartstocht alleen maar heftiger geworden. Telkens opnieuw had ze tegen het meisje gezegd, 'Christus is voor onze zonden aan het kruis gestorven en de wereld zal proberen je aan het kruis te nagelen als je dat toestaat.'

Logica speelde hierin geen belangrijke rol. Als je het Ierse geloof, een enorm schuldgevoel en een persoonlijkheidsstoornis combineert, heb je nu eenmaal behoefte aan symbolen. Haar moeder was geobsedeerd geweest door het kruis, haar huis had vol gehangen met kronkelende Christusfiguren in alle vormen en maten. Alleen het meisje wist waar deze obsessie vandaan kwam. Ze had het nooit aan iemand verteld en was dat ook nu niet van plan. Het waren mannen, die zouden het toch niet begrijpen.

Het meisje stond op. Ze had op haar knieën zitten bidden, niet tot een katholieke God, maar tot die nieuwe, duistere macht die haar kracht schonk. Ze liep naar de spiegel, zag het zilveren kruis glanzend om haar nek hangen, en vanuit een ooghoek ving ze de inmiddels vertrouwde aanblik op van een vlam die in een hoek van de kamer oplaaide.

Woesj.

Toen ze zich omdraaide om ernaar te kijken, was hij weg.

Ze glimlachte.

Het kruisje was Keltisch, een cadeau van haar moeder voor haar zestiende verjaardag, en ze had erbij gezegd, 'Verloochen het kruis nooit.'

Haar moeders geheim, de ware reden voor het kruis, stond haar helder voor de geest. Ze zag het voor zich als een scène uit een film. Ze was twaalf geweest, hing altijd aan haar moeders rokken, en toen ze op een avond vroeg thuiskwam uit school, had ze haar moeder snikkend aangetroffen in de keuken, met een lege fles zoete sherry op het aanrecht. Haar moeder dronk nooit en in die toestand had ze haar dochter omhelsd, haar verteld dat ze, voordat ze de vader van het meisje ontmoette, een abortus had gehad, zei dat het, door de helse pijn van de behandeling, had aangevoeld alsof ze werd gekruisigd.

Toen had ze eraan toegevoegd, 'Voor die zonde moet ik nu elke dag van mijn leven boeten.' Ze had de pols van haar dochter ruw vastgepakt, een knellende greep, en gewaarschuwd, 'Als iemand je ooit iets aandoet, is er maar één manier om hen dat betaald te zetten. Weet je wat dat is?'

Het meisje had doodsbang haar hoofd geschud, terwijl tranen over haar gezicht gutsten. Haar moeder had met ijskoude stem gezegd, 'Je nagelt hen aan het kruis, zoals dat met Onze Lieve Heer is gebeurd, je jaagt de spijkers erdoorheen met alle wilskracht die de Heiland ons heeft geschonken.'

Op donderdagavond heb ik een man gedood.

Dat denk ik tenminste.

Heb in elk geval heel hard mijn best gedaan.

Ik was naar de bioscoop geweest – sorry, ik krijg het woord *bios* niet uit mijn strot. *Sideways* had geweldige recensies gekregen – Paul Giamatti had die schuldbewuste gezichtsuitdrukking waarin ik mezelf herken, de Woody Allen van de nieuwe wanhoop. Van al die wijn die werd gedronken werd ik behoorlijk depri. Ik ben nooit een wijnliefhebber geweest, mijn voorkeur ging uit naar snelwerkende, dodelijke drank. Ik proefde de smaak van Merlot in mijn mond en met mijn haperende gehoor kostte het me, ondanks het digitale Dolbygeluidssysteem, uiteraard moeite de dialogen te verstaan. Ik kneep er dus tussenuit.

Toen de kaartverkoper me zag weglopen, vroeg hij, 'Niet leuk, zeker?'

Hij had zo'n Iers gezicht dat eruitziet alsof het gekookt is – rode wangen, kreeftenlippen, bleke huid, en weer zo'n Amerikaans accent.

'Ik vond het juist iets té leuk.'

Hij keek me aan alsof hij wilde zeggen: 'Man, nu al gestoord.' En zei lijzig, alsof hij in Kentucky was geboren, 'Kerel, ieder zijn meug.'

Fuck.

Het miezerde. Niet heel erg, net voldoende om je eraan te herinneren dat je je in het land van *baiste*, regen, bevond. Ik had artikel 8234 aan, mijn oude Gardajas. Het ding was net als ikzelf verbrand, in elkaar geslagen en getrapt, maar hield nog steeds vol. Ik zette de kraag omhoog en overwoog om een afhaalkebab te nemen. De ellende is dat daar echt een sixpack bij hoort.

Er kwam een man naast me lopen – lange vent, een walm van knoflook en Guinness stroomde uit zijn poriën. Hij zei, 'Jij bent Taylor.'

Klonk fel, dreigend van toon, en ik wist dat dit weinig goeds voorspelde. Ik moest me inspannen om hem te verstaan, ook al kon het me niet schelen wat voor shit deze engerd te bieden had. Zijn lichaamstaal straalde aan alle kanten moeilijkheden uit.

'Wat dan nog?'

Hij boog zich naar me toe, kwam vlak voor me staan, en zei, 'Kindermoordenaar.'

Benam me de adem. Eén verwijzing naar Serena May en mijn hele lijf verkrampte.

Voordat ik iets kon zeggen, ging hij verder, 'En nu is door jou ook nog een of andere jonge knul dood.'

Cody.

Ik bleef staan. Er is een smal steegje in de buurt van mijn flat aan Merchant's Road en ik richtte mijn stappen die kant op. Ik zei, 'Ik weet niet wie je bent en ik wil het niet weten ook. Ik neem de kortste route naar huis en als je slim bent, kom je niet achter me aan.'

Ik had mijn stem niet eens verheven, een heel gevaarlijk teken, betekent dat ik naar de 'zone' ga, dat geïsoleerde gebied waar geen regels gelden. Ik was een paar keer door enkele van de gemeenste schoften die op aarde rondlopen een steegje ingelokt, al mijn tanden waren op zo'n plek met een ijzeren staaf uit mijn mond geslagen. In de afgelopen paar jaar was ik verschillende keren in elkaar geslagen, en ik had er geen zin meer in op een ondergekotst stuk grond te liggen, terwijl een of andere klojo mijn hoofd in elkaar trapt. De woede die in me had liggen smeulen sinds Cody's dood, de reactie van zijn ouders op mij, het opgeven van drank, het opgeven van sigaretten, laaide nu dreigend op.

Het is een witheet/ijskoud branderig gevoel. Maar misschien is die omschrijving net iets te Iers. Je geest en concentratie staan volledig onder stroom… fuck, al het andere wordt gewoon gewist. De pure roes van het komende geweld is als een dubbele Jameson die je jezelf hebt onthouden en opeens grijp je het glas, gooi je de inhoud in één keer achterover, en wacht je op de klap.

Die stomme eikel lachte, zei, 'Je wilt vluchten, laffe hond die je bent. Dat doe je zeker altijd, smeerlap? Ik sla je helemaal verrot.'

Goed.

Einde gesprek.

Er is een oud gezegde, *de wet wordt beoefend in de rechtszaal, gerechtigdheid vindt plaats in steegjes.*

Ik liep het steegje in en hij haalde me op een holletje in, riep, 'Hé.'

Ik bukte me diep, haalde plotseling met mijn linkerelleboog uit en raakte hem in zijn nieren, en terwijl hij naar adem hapte, draaide ik me om en schopte ik keihard tegen zijn knie. Trof hem tijdens zijn val met mijn vuist, brak daardoor zijn neus, hoorde het bot knappen. Deed een stap naar achteren, liet tot hem doordringen dat dit slechts voorspel was. Ik was nu pas warmgedraaid, al mijn woede stond in stelling en allemachtig, wat had ik er een zin in.

Hij mompelde moeizaam, 'Je hebt mijn neus gebroken. Waarom heb je dat gedaan?'

Hij had van dat lange, sluike haar waar beestjes, heel vieze, in wonen. Ik greep een pluk vast en bonkte zijn hoofd tegen de muur, hoorde een zacht gekraak.

'Zie je al sterretjes? Want dat gaat zeker gebeuren, en dat blijft een hele tijd zo.'

Hij stak zijn hand op en kreunde, 'Oké, genoeg, ik ben klaar.'

Klaar?

Ik boog me over hem heen, herhaalde, '*Klaar*? Grapjas. We zijn nog niet eens begonnen. Dit was alleen maar de trailer, binnenkort in de bioscoop te zien.'

Daarna beukte ik op hem in met alle smerige, akelige trucjes die ik zowel in mijn tijd als Guard als op straat had geleerd, en toen ik ermee ophield, zweette ik uit elke porie. Er stroomde bloed langs mijn handen en ik had mijn kiezen zo stevig op elkaar geklemd dat ze pijn deden.

Ik staarde even naar de opgerolde hoop en liep toen weg. Opeens, noem het maar pure slechtheid, bleef ik staan, en ik wandelde terug, schopte nog twee keer met mijn laars tegen zijn hoofd, en zei, 'Nu zijn we klaar.'

Thuis trok ik met een ruk mijn jas uit. Normaal gesproken zou ik na zoiets eerst een groot glas Jameson hebben gepakt. Nu slikte ik twee van Stewarts pillen, zette ik wat thee, met flink wat suiker tegen de shock, en bekeek ik mijn handen. Die waren er niet al te best aan toe. De linker bloedde vooral, de huid was kapot. Dat was te verhelpen met ijskoud water. De rechter was er ernstiger aan toe. Ik dacht dat de vingers misschien wel waren gebroken. Ze waren al eerder gebroken geweest, dus ik herkende de voortekenen.

Ik probeerde een spalk te maken, maar kreeg het niet voor elkaar, en toen ik verder zocht, stuitte ik op een visitekaartje.

GINA DE SANTIO

Met daaronder telefoonnummers.

Wat had ze ook alweer gezegd? Mocht ik hulp nodig hebben? Nou, maar eens zien of dat een fabeltje was.

Ik toetste met moeite het nummer in, wachtte, hoorde toen, 'Si?'

Besloot de gok te wagen.

'Dit is Jack Taylor. Je hebt me in het restaurant van het ziekenhuis je kaartje gegeven, zei dat ik kon bellen als ik ooit hulp nodig had?'

Ik bespeurde een slaperige klank in haar stem – kijk, speuren is nu eenmaal mijn vak.

Het duurde even, toen zei ze, 'Ach ja, meneer Taylor. Ik had niet verwacht dat je zou bellen.'

Ik wilde antwoorden, 'Waarom heb je me dan verdomme dat kaartje gegeven?'

Zei, 'Ik heb nu hulp nodig.'

Tot mijn stomme verbazing zei ze, 'Ik kom eraan.'

Het leven, of mensen – net wanneer je alle hoop hebt opgegeven, weten ze je aangenaam te verrassen. De reden dat ik nog steeds elke ochtend uit bed kwam, vermoedde ik. Ik vertelde haar mijn adres en zei, 'Neem wat spullen mee, ik heb gebroken botten.' Dacht dat ze nu wel even stil zou vallen.

Dat was inderdaad zo, maar toen zei ze, 'Ik ben er met een minuut of twintig.'

Wie had dat gedacht?

Toen ze aankwam, deden Stewarts pillen hun werk al. Ze zag er stralend uit, en ik voelde iets wat ik, o, al heel lang niet had gevoeld. Verlangen.

Fuck.

Ze had een oud sweatshirt van Trinity aan, een gescheurde spijkerbroek, sportschoenen en een beige regenjas. Haar haren waren naar achteren gekamd en ze zag er heerlijk onverzorgd uit.

'Ik waardeer het echt heel erg dat je bent gekomen, helemaal omdat je me amper kent.'

Ze bekeek mijn flat zoals alleen een vrouw dat kan. Niet direct kritisch, hoewel dat ook meespeelde, maar vooral met zo'n blik die alles in zich opnam en niets oversloeg. Bij mijn gordijnen bleven haar ogen even hangen en ik wist dat ze dacht, wanneer zijn die voor het laatst gewassen?

Mannen denken, waar staat de drank?

Ze had een Gladstone-dokterstas bij zich die eruitzag alsof hij al heel wat jaren meeging.

Ze zei, 'Misschien ken ik je wel beter dan je denkt. Ik ben eigenlijk arts, maar werk vooral als therapeut.'

Haar zachte accent was heel aantrekkelijk, alsof ze de juiste uitspraak met veel inspanning had verworven.

Ik vroeg, 'Wil je iets drinken – thee, koffie? O ja, ik heb ook Jameson en wodka.'

Ze wierp me een blik toe die vroeg, is dit dan een gezelligheidsbezoekje?

Ze zei, 'Ga zitten en laat me eens kijken wat je jezelf hebt aangedaan.'

Ze was heel grondig. Ze waste en reinigde de wonden, maakte van die hmmm-geluiden die gereserveerd lijken voor het medische vakgebied, bevestigde toen een spalk tegen de vingers van mijn rechterhand.

'Die vingers zijn al eens eerder gebroken geweest, maar ik weet vrij zeker dat ze nu niet gebroken zijn. We zullen echter een röntgenfoto moeten laten maken om daar duidelijkheid over te krijgen, en ik neem aan dat je daar niet echt op zit te wachten?'

Toen mijn handen waren verzorgd en met dun gaas verbonden, deed ze een stap achteruit.

'Je overleeft het wel, maar ga morgen voor alle zekerheid naar een ziekenhuis.'

Ik was heel ontspannen, voelde totaal geen pijn en vond haar geur wel wat hebben – een vrouwengeur, iets wat ik niet kon thuisbrengen, maar wel lekker vond.

Ze keek op haar horloge, een heel smalle Rolex, en zei, 'Nu lust ik dat drankje wel, een wodkatonic. Ik hoef morgen niet te werken, dus ik kan lekker lang in bed blijven liggen.'

Ik wilde best naast haar in dat bed liggen. Wijt het maar aan Stewarts pillen.

Ze vroeg of ik veel pijn had en de verslaafde in me zei, lieg alsof het gedrukt staat.

Dat deed ik.

Ze haalde wat pillen uit haar tas, telde ze zoals dokters dat doen, met afgemeten concentratie, om te voorkomen dat ze je er één meer geven dan strikt noodzakelijk is.

Ze zei, 'Ze zijn erg sterk. Niet samen met alcohol gebruiken.'

Ik deed mijn best ze niet uit haar hand te graaien. Ik was hard op weg een aardig voorraadje bescherming op te bouwen. Ik haalde haar drankje, vroeg, 'Waarom ben je gekomen? Ik bedoel, dat is toch – hoe heet het? – hoogst ongebruikelijk?'

Ze nam een slokje en toen herkende ik de geur. Patchoeliolie, waarmee hippies vroeger altijd liepen te leuren. Geen flauw idee waarom, maar het gaf me nieuwe hoop. Op wat... dat kan ik niet zeggen, het was al zo lang geleden dat ik dat gevoel had gehad. Ik accepteerde het gewoon zonder het te analyseren. Ze tuurde in haar glas. Ik wist dat daar geen antwoorden te vinden waren. De illusie van antwoorden, dat wel, maar geen waarheden.

Ze zei, 'Ik kom uit Napels. We hadden het niet breed. Ik ben met een Ierse arts getrouwd, een lang verhaal, hij is nu weg, en we kregen één dochter, Consuelo, het mooiste meisje dat je je kunt voorstellen. Drie jaar geleden is ze overleden.'

Ze nam een flinke teug wodka en pakte de draad weer op.

'Ik werd lid van de exclusiefste club ter wereld – familieleden van slachtoffers. Niemand wil erbij horen, we hebben een verdriet gemeen dat nooit weggaat, en we herkennen elkaar ook zonder woorden. Je kind overleven, dat is de ergste kwelling waarmee de wereld je kan opzadelen. En toen ik jou zag, de uitdrukking in je ogen zag, wist ik dat jij er ook bij was gekomen.'

Ik wilde zeggen, flauwekul, ga die therapie van je maar ergens anders toepassen. Zelfs de pillen konden de woede die in me opborrelde niet onderdrukken.

Ik zei, 'Ik waardeer je hulp echt enorm, maar matig je geen ideeën aan over mij en verlies.'

Ze glimlachte kort en knikte. 'Ik weet wat razernij is.'

Ik wilde haar door elkaar rammelen, krijsen, o ja? Fuck, je begrijpt er geen moer van!.

Ze zei zachtjes, 'Het is een van de vijf stadia van rouw.'

Ik schoot overeind. 'Ik? Ik heb het anders tot twee beperkt – woede en zuipen.'

Ze stond op, zei, 'Ik moet gaan. Ik zou graag wat meer tijd met je doorbrengen, Jack Taylor.' En raakte met één vinger mijn gezicht aan. Het brandde nog erger dat het spuug van Cody's vader.

Ik stamelde, 'Een afspraakje, bedoel je?'

Ze stond al bij de deur.

'Nee, ik bedoelde als troost.'

'Ik hoef niet te worden getroost.'

Terwijl ze de trap afliep, riep ze over haar schouder, 'Ik had het niet over jou.'

Na haar vertrek was ik rusteloos, wist ik niet wat ik ervan moest denken. Ik pakte een boek, sloeg het op een willekeurige plek open, las:

> *... als een man eenmaal een moord heeft begaan, zal hij beroving al snel als minder erg gaan beschouwen, en na beroving zal zijn volgende stap drinken en het verbreken van de zondagsrust zijn, en daarna onbeleefdheid en het voor je uit schuiven van zaken...*

Wat was dit verdomme? Las de naam van de auteur: Thomas de Quincey.

Vinny, van Charly Byrnes' boekwinkel, had kort geleden een stapel boeken bij me langs gebracht. De meeste zagen er oud uit en Vinny had gezegd, 'Sommige zijn net zo oud als jij.'

Ik legde het boek weg en bedacht dat het voor je uit schuiven van dingen het enige van die opsomming was wat mij nog restte. Als je echter bedacht dat ik volledig had nagelaten af te rekenen met degene die Cody had neergeschoten, was ik daar ook al aardig ver mee, zou ik zeggen. Ik wist dat ik buiten hoorde te zijn, al mijn aandacht moest richten op het opsporen van de schutter, maar ik was bang. Stel dat het Cathy was, Jeffs vrouw? Ik had haar dochter en man, haar hele leven de vernieling in geholpen.

Ik slikte een van Gina's pillen en wachtte, in gedachten op die dode plek, en kwam tot de conclusie, die krengen werken niet.

Besloot toch te gaan liggen en sliep achttien uur aan één stuk. Als ik al heb gedroomd, dan kan ik me dat niet herinneren, maar je kunt er zeker van zijn dat het beslist geen vluchtige, vrolijke dromen zullen zijn geweest. Dat waren ze nooit.

Daar waren de met zweet doordrenkte lakens bij het wakker worden het bewijs van. Alles bleef gewoon bij het oude.

Terwijl ik sliep visten ze Eoin Heatons lichaam uit het kanaal. Voor hem zat het speuren naar honden erop.

16

'Als je een kruis in je zak hebt, zal je geen kwaad overkomen.'

Een Ierse priester in zijn preek.

Een buurtbewoner merkte op, *'Dat kruis in zijn zak is niet datgene waar we voor moeten oppassen!'*

Toen ik wakker werd, was het eerste wat ik voelde opluchting omdat ik niet had gedronken. Ik keek op de klok en besefte tot mijn grote schrik dat ik bijna achttien uur buiten westen was geweest en... dat ik honger had.

Mijn rechterhand klopte pijnlijk, maar minder erg dan ik had verwacht. Die kerel in het steegje, hoe zou hij eraan toe zijn? Ik douchte, zette een pittige bak koffie, en trok een wit overhemd en een schone spijkerbroek aan, en een tweed jasje dat ik in een liefdadigheidswinkel had gekocht. Er zaten leren stukken op de mouwen, en als ik een pijp had gehad, kon ik zo doorgaan voor een personage uit een roman van John Cheever of een aan lager wal geraakte professor. Tijdens het scheren had ik voorzichtig in de spiegel naar mijn ogen gekeken. Het waren niet de ogen van een moordenaar, maar dat is zelden zo. De moordlustige rotzakken die ik had ontmoet – en dat waren er nogal wat – hadden vaak heel aardige ogen gehad.

Ik luisterde even naar het nieuws en er was een berichtje over een man, het slachtoffer van een overval, die in een steegje was gevonden en op de intensive care lag. Slaakte ik een zucht van opluchting?

Nee.

Ik ging naar buiten, legde mijn inmiddels vaste route af naar de noordkant van het plein om te kijken of het een beetje opschoot met de renovatiewerkzaamheden.

Nee dus.

Ik liep verder in de richting van het centrum, kwam langs de winkel van Faller's, staarde met een felle steek van spijt naar de rijen gouden Claddagh-ringen, stak toen de straat over en ging het winkelcentrum Eyre Square in. Er zit daar een restaurant waar ze nog steeds tot hartaanval leidende maaltijden verkopen – gebakken spul, tonnen cholesterol en geen preek. Ik bestelde de dagspecial, met alles erop en eraan, de hele aderdichtslibbende zooi: gebakken spek, twee dikke saucijzen, bloedworst, gebakken ei, portie geroosterd brood, pot thee. Koos een tafel helemaal achterin uit en was halverwege mijn maal toen mijn persoonlijke wraakengel opdook.

Pastoor Malachy.

Hij vroeg niet of hij erbij kon komen zitten, nam gewoon plaats, zei beschuldigend, 'Waar heb jij uitgehangen?'

Ik had net een hap van de tweede saucijs genomen, dus het duurde even voordat ik antwoord kon geven. Er kwam, om nog maar eens een flinke woordspeling te maken, rook uit Malachy's oren van boosheid, omdat hij hier niet mocht roken. Dit was de mafkees die zijn wekker zette om in de vroege ochtenduurtjes te roken. Voor hem was het leven slechts een lange ergernis die tussen zijn sigaretten door plaatsvond. Hij had het bleke uiterlijk, het diep gegroefde gelaat en de licht hijgende, bijna gonzende ademhaling van een roker.

Ik besloot hem de waarheid te vertellen, niet iets waaraan de kerk gewend was.

'Ik sliep.'

Hij was pisnijdig, spuugde uit, 'Moest zeker je roes uitslapen.'

Ik was niet van plan me door die klojo op stang te laten jagen. 'Ik drink niet.'

Hij snoof verachtelijk. Het kwam door zijn neusgaten naar buiten en was geen aangenaam geluid, zeker niet wanneer je halverwege je ontbijt bent.

Hij zei, 'Je hebt de begrafenis gemist. Die vriend van je is begraven en je kon het niet opbrengen om met je luie reet uit bed te komen?'

Ik schonk een kop thee in en wist mijn stem vlak te houden.

'Men had mij verzocht niet te komen.'

Hij gniffelde van – leedvermaak?

'Zo, zo, lieve hemel – verbannen van een begrafenis, jij bent me er wel een.'

Ik voelde mijn verdraagzaamheid wegglippen, maar nee, ik liet me door hem niet op stang jagen.

Ik vroeg, 'Hoe is het gegaan?'

Hij deed me na, '*Hoe het is gegaan*? Zijn ouders waren er kapot van en zijn zus, dat arme kind, zat er helemaal doorheen.'

Ik was verbaasd, vroeg, 'Had hij een zus?'

Dat vond hij prachtig.

'Allejezus, die arme knul werkte met je samen en je wist niet eens dat hij een zus had. Typisch iets voor Taylor, meneer de egoïst, meneer kan-mij-het-schelen.'

De verleiding om hem boven op zijn met roos bedekte hoofd te meppen, werd steeds groter.

Hij ontdekte mijn verbonden handen.

'Weer op oorlogspad geweest?'

Ik koos de gemakkelijkste route, zei, 'Ja, ergerde me kapot aan een priester.'

Hij stond op, vroeg, 'Kende jij die ex-Guard die ze uit het kanaal hebben gevist?'

'Wat?'

'Ene Heaton. Zuiplap, net als jij. Heeft de wereld een gunst bewezen en zichzelf verzopen.'

Ik had amper tijd om dit te verwerken, want hij ging meteen verder, 'Hij had die hond niet hoeven meenemen – dat was echt walgelijk.'

'Hond?'

'De vuile rotzak had een hond voor zijn buik gebonden. Wat voor zieke geest doet een van Gods onschuldige wezens nou zoiets aan?'

Al mijn voornemens ten spijt was het Malachy toch gelukt me op alle denkbare manieren op stang te jagen. Zonder ook maar een seconde te twijfelen begreep ik dat dit mijn schuld was. Die zaak van de vermiste honden had zo onbeduidend geleken. Nu lag dat heel anders en ik had verdomme geen flauw idee wat er gaande was.

In de daaropvolgende uren ging ik allerlei pubs en bookmakers af, plekken waar Eoin Heaton vaak te vinden moest zijn geweest, en zo kwam ik erachter dat hij op de avond van zijn dood naar een groothandelsfirma aan Father Griffin Road zou gaan. Hij had een van zijn maten verteld dat hij op het punt stond een enorme zwendel op te rollen.

Het duurde een paar uur voordat ik het adres had achterhaald en tegen die tijd was de zaak dicht. Ik wist echter de naam van de eigenaar. Een zekere King.

Vervolgens belde ik Ridge met mijn gsm en zij vertelde me dat ze wat informatie had over Rory, de broer van dat in de auto verbrande meisje.

Mijn gedachten raasden voort. Ik had veel aan mijn hoofd en opeens bedacht ik dat een goede nachtrust van levensbelang was voordat ik in al die zaken iets ondernam.

Ridge kwam de volgende ochtend langs. Ze had een spijkerbroek en sweatshirt aan, en oogde bijna ontspannen. Ik keek in haar ogen, die felblauw leken en glansden, en voor de verandering waren haar kleren nu eens precies goed. Niet zozeer omdat ze goed zaten als wel omdat ze precies leken te passen bij haar zelfverzekerde uitstraling.

Voor het eerst in lange tijd bekeek ze mijn flat eens goed. Eerlijk gezegd stelde het weinig voor. De woonkamer, met de uitgewoonde bank, de kleine televisie en, natuurlijk, de boekenplank vol boeken. Ze staarde naar de vloerbedekking – in elke hoek stofwolken – en toen viel haar blik op de kleine keuken: vuile kopjes in de gootsteen, een theedoek die nodig moest worden vervangen, dozen cornflakes die ver over de houdbaarheidsdatum heen waren, en in de vuilnisbak dozen van snelle afhaalhappen, pizza en Chinees, stille getuigen van het leven van de eenzame vrijgezel in al zijn glorie.

Ze trok haar neus op.

'Ruik ik sigaretten? Rook je weer?'

Ik snauwde, 'Je bent mijn moeder niet, hoor.'

Voordat ze kon uitvallen, ging ik milder verder, 'Nog nieuwe informatie?'

Ze vertelde me wat ze had ontdekt.

De oudste zoon van de familie Willis, Rory, had bij een auto-ongeluk een vrouw gedood en was daarna doorgereden; hij was opgepakt, op borgtocht vrijgelaten en ervandoor gegaan, vermoedelijk naar Engeland. De vrouw die hij had doodgereden, Nora Mitchell, had twee kinderen van rond de twintig, die indertijd in Brixton woonden. Haar gezin was niet te bereiken en Ridge zei, 'Waarschijnlijk zijn ze verhuisd. Dat doen families vaker na zo'n tragedie.'

Door de enorme hoeveelheid slaap die ik had gehad was ik heel scherp en – gedachten, ideeën, voorgevoelens, noem maar op – in mijn hoofd begon zich een kristalhelder patroon te vormen. Ik wachtte tot alles op zijn plek was gevallen, onthulde toen mijn donderslag bij een heldere hemel,

'Jazeker, die zijn inderdaad verhuisd en volgens mij weet ik waar naartoe.'

Ze zweeg even.

'Je wilt toch niet beweren dat haar gezin hierachter zit?'

Het was een van die zeldzame ogenblikken, komen ongeveer eens in de tien jaar voor, dat mijn intuïtie en ervaring het met elkaar eens waren.

Ik zei, 'Er is een verband, dat moet wel.'

Ridge was zeer sceptisch, zei, 'Ik ben zeer sceptisch.'

Mijn hoofd draaide op volle toeren en bij wijze van uitstel bood ik haar koffie aan, voegde er toen aan toe om haar op de kast te jagen, 'Of wodka?'

Ze keek alsof ze me zou gaan slaan.

'Dat was eenmalig. En ik drink geen koffie meer, heb geen stimulerende middelen nodig.'

Ik negeerde de minipreek, zei, 'Jij moet je kop eens uit je kont halen.'

Haar ogen spuwden vuur, maar voordat ze erop kon ingaan, vroeg ik haar naar King, de eigenaar van die groothandelsfirma, en ik vertelde haar dat Eoin Heaton in het kanaal was verdronken.

Ze reageerde fel en minachtend.

'Och, Christus nog aan toe, hij was een zuiplap, er ligt er altijd wel een in het kanaal, en als het aan mij lag, mochten het er nog wel meer zijn ook.'

Ik ging niet op de schimpscheut in, vroeg, 'En die hond die voor zijn buik zat gebonden?'

Ze stootte een verbitterd, bijna verwrongen lachje uit, zei, 'Dat doen zuiplappen nu eenmaal, onschuldigen meeslepen in hun val.'

Ze was me er wel eentje.

Ik vroeg, 'Kun je King voor me natrekken?'

'Ik ga geen tijd verspillen aan het najagen van hersenschimmen.'

Toen zei ik, 'De begrafenis van Maria Willis – ik ga erheen.'

Ridge was ontsteld.

'God, wat ben je toch morbide. Waarom wil je daar naartoe?'

'Noem het maar intuïtie.'

Ze keek alsof ze het heel veel benamingen kon geven, maar intuïtie was er daar niet een van. Ze stormde langs me weg, de deur uit.

Ik wachtte tot ze in de gang was, op weg naar de trap, zei toen, 'Je zit er trouwens helemaal naast.'

Ze keek niet eens achterom. 'In welk opzicht?'

'Die hersenschimmen. Het gaat om het najagen van honden. Wel een beetje bijblijven, hè.'

En ik smeet de deur dicht.

Kinderachtig?

Jazeker, maar wel bevredigend.

Vroeger, in de tijd van de zigeuners, toen ik met hen samenwerkte, had ik een Engelse agent leren kennen, ene Keegan. Nu weet ik echt wel wat geschift is, ben het zelf geweest, maar hij ging zo ver dat je een compleet nieuwe term voor waanzin zou moeten bedenken. Hij had me enorm geholpen en toen had ik tegen zijn advies in een verkeerde inschatting gemaakt met als gevolg een tragische afloop. We waren echter nog steeds bevriend en ik belde hem op.

Het duurde even voordat hij opnam en zijn eerste woorden waren, 'Taylor, gestoorde eikel die je bent.'

Vertrouwde begroeting, vertrouwde pesterijtjes.

We werkten het vaste ritueel af, vroegen hoe het met de gezondheid ging en dat soort ongein, toen zei hij, 'Wat moet je?'

Recht voor zijn raap. Ik had geen zin zogenaamd beledigd te zijn omdat hij dacht dat ik alleen maar belde omdat ik hulp nodig had, dus ik beschreef de kruisiging en vroeg hem het gezin van Nora Mitchell voor me na te trekken, alles wat hij maar kon vinden.

Hij zei even niets, toen, 'Je wilt dus foto's, eventuele strafbladen, dat soort zaken?'

'Precies.'

'Heb je een fax?'

Ik was erop voorbereid, had met een computerzaak in de buurt afgesproken dat het via hun fax mocht en gaf hem het nummer.

'Wat levert dit me op, vriend?'

'Mijn eeuwige dankbaarheid.'

'Rot toch op, stuur maar een kistje Jameson.'

Zijn afscheidswoorden waren, 'Ga je hen nu aan het kruis nagelen?'

Ik kon alleen maar bevestigend antwoorden. Voordat hij ophing, zei hij, 'Katholieken, als jullie eenmaal een trucje hebben gevonden dat werkt, blijven jullie het eindeloos herhalen.'

Ik slikte *niet op blijven hameren* nog net in, wenste hem geluk. Hij zei, 'Met een Sig Sauer op zak doet geluk er niet toe.'

Ik ijsbeerde door mijn kleine kamer, allerlei mogelijkheden voor het grijpen. Ik had trek in koffie, maar werd zo in beslag genomen dat ik helemaal vergat water te koken.

Ridge belde om te zeggen dat meneer King een gerespecteerd zakenman was die ingeblikte delicatessen exporteerde. Hij was nooit met de politie in aanraking geweest en was in alle opzichten een achtenswaardig burger.

Ik vroeg, 'Is zeker wel gek op honden?'

Ze zweeg.

'Wat is dat voor achterlijke vraag?'

'Dat is nou precies waar ik achter wil komen.'

Ze begon te sputteren, maar ik hing al op.

De telefoontjes hadden me uitgeput. Wanneer je gehoor krakkemikkig is, zijn zulke gesprekken heel inspannend en ik voelde me gesloopt. Keek op de kalender en jawel hoor, het was de dag waarop ik een gehoorapparaat kreeg aangemeten.

Ik zag het totaalplaatje weliswaar nog niet voor me, maar zou binnen niet al te lange tijd vast en zeker wel de radertjes kunnen horen die erachter aan het werk waren.

Hield mezelf voor dat ik daar toch bijna een zencitaat in wording te pakken had.

17

'Op het moment dat je je vastlegt, komt het hele heelal samen om je te helpen.'

Goethe

Het meisje had zich voorgenomen naar de begrafenis te gaan van het meisje dat ze had verbrand.

Haar vader had het haar afgeraden, had gezegd, 'Ze zitten hier nu vast bovenop. Het duurt niet lang meer voordat ze begrijpen hoe het zit.'

Het meisje vroeg zich af of hij er spijt van had dat hij zich had vastgelegd. Hij begon er oud uit te zien en klaagde voortdurend over pijn op zijn borst. Fuck, wat had hij dan gedacht? Ze vermoordden mensen, had hij soms gedacht dat het verheffend zou zijn? En haar broer was een mietje, als jammerkont geboren. Die deed wat hij het beste kon – zoals de meeste mannen eigenlijk: mokken.

Ze zei, 'We wilden hen laten lijden. Wat heeft het verdomme voor zin als we het niet met eigen ogen kunnen zien?'

Jezus, wat mankeerde hen toch?

Haar broer zei, 'Ik denk dat we ons beter gedeisd kunnen houden.'

Het meisje onderbrak hem, zei met een kille, afgemeten stem, 'Herinner je je misschien Rory nog?' Ze zweeg even tot ze hun volledige aandacht had, ging toen verder, 'Degene die mama als een beest omver heeft gereden, die toen is gevlucht, die haar een pijnlijke dood heeft laten sterven aan de kant van de weg. Laten we hem er gewoon mee wegkomen?'

Ze keken beschaamd, en terecht.

Toen zei haar broer, 'Die komt heus niet terug, hij zou wel gek zijn.'

'Zijn hele familie is om zeep geholpen. Zelfs een smeerlap als hij moet zijn gezicht laten zien.'

Ik liet een gehoorapparaat aanmeten. Het ding was kleiner dan ik had verwacht, minder in het oog springend, maar toch voelde ik me oud.

Ik vroeg aan de specialist, 'Is het te zien?'

Hij glimlachte.
'Hangt ervan af wat u zoekt.'
Een filosoof dus.
Ik beet hem toe, 'Ik wil er niet… u weet wel, zwak uitzien.'
Hij lachte. 'Ik geloof niet dat u dat het gehoorapparaat kunt verwijten.'
Ierland, iedereen denkt maar dat hij kan zeggen wat hij wil, waar het op staat. Die hufters liegen nooit op cruciale momenten. Bewaar dat maar voor wanneer je echt de waarheid wilt horen.
Ik staarde hem aan. Hij had een weelderige haardos, dus ik vroeg, 'Is dat nep?'
Hij keek ontzet, zei voorzichtig, 'Ik begrijp niet goed wat u bedoelt.'
'Tuurlijk wel. Nep… rijmt op toupet.'
Hij tastte naar zijn haar en zei, 'Het is mijn eigen haar.'
Op weg naar de deur merkte ik op, 'De meeste mensen zouden u onmiddellijk geloven.'
Toen ik de rekening zag, kreeg ik heel veel spijt van mijn plagerijtje.

Het verband was van mijn handen, maar je kon de striemen, de kneuzingen op de knokkels nog zien zitten en het deed pijn, maar dat was een bekend gevoel. Ridge had me nog iets meer verteld over King, de eigenaar van de groothandelsfirma, en ik trok mijn beste liefdadigheidspak aan, een wit overhemd erbij en een donkere stropdas, en ik was klaar voor vertrek.

Hoewel *klaar* misschien niet de juiste term is. Eerder ongedurig. Ik had een paar documenten in elkaar geflanst. Met behulp van internet en business centers kon je zo ongeveer alle geloofsbrieven in elkaar draaien die je maar wilde. Ik stopte de mijne in een kleine, zwarte leren attachékoffer en oefende een paar keer in het open- en dichtdoen. Ik zag eruit als een afgeleefde FBI-agent en hoopte dat het gehoorapparaat het gevolg leek van pistoolschoten.

Kings groothandelsfirma was enorm en er hing een sfeer van ingespannen nijverheid. Talloze bestelbussen kwamen en gingen. De zaken liepen blijkbaar goed, maar was het ook allemaal, durf ik het te zeggen, koosjer? Een receptioniste van begin twintig begroette me vriendelijk.

Ik wapperde met mijn pasje, zei, 'Ministerie van Volksgezondheid. Ik wil meneer King graag spreken.'

Het is een voortdurende bron van verwondering dat mensen meteen onder de indruk raken van elk willekeurige officiëel document.

Ze was danig onder de indruk en zei, 'Ik zal hem even bellen, hem laten weten dat u hier bent.' Toen, met een bezorgde frons, 'Er is toch niets ernstigs aan de hand?'

Ik hield mijn gezicht onbeweeglijk.

'Dat kom ik juist uitzoeken.'

Ze sprak kort met iemand aan de telefoon, kondigde toen aan, 'Meneer King kan u nu ontvangen. Loopt u maar door.'

Ik zei, 'Ga voorlopig de stad niet uit.'

Freud heeft ooit gezegd, 'Een boze baby is het gevaarlijkste wat er is.' King zag eruit als een boze baby, maar dan wel een van zestig jaar oud. Hij was helemaal kaal en had zo te zien ook geen wenkbrauwen. Op zijn gezicht was geen rimpel te bekennen en toch had hij de houding van iemand die alles al een keer had meegemaakt en het niet gemakkelijk had gehad. Hij zat achter een reusachtig bureau en ik durf te wedden dat hij ook een reusachtige auto had. Hij stond niet op om me te begroeten en stak evenmin zijn hand uit, staarde me alleen kwaad aan. Ik wist dat het niets persoonlijks was, nog niet tenminste. Hij keek ongetwijfeld altijd kwaad. De wereld had zijn speeltjes ingepikt en allejezus, die moest en zou hij terugkrijgen.

Ik wapperde met het pasje. 'Ministerie van Volksgezondheid.'

Hij haalde een blikje uit de zak van zijn indrukwekkende pak, propte wat snuiftabak in zijn neus, tenminste, ik denk dat dat het was. Als het cocaïne was, verdiende hij mijn onvoorwaardelijke bewondering. Hij liet een irritant neusgatreinigend geluid horen en ik wachtte rustig af.

Hij snauwde, voor zover dat tenminste mogelijk is met een iel, dun stemmetje, 'Wat is het probleem?'

Ik zuchtte – helpt ook altijd als je moe bent – zei, 'We hebben een klacht binnengekregen.'

Hij schoot overeind, vroeg dwingend, 'Van wie? Waarover?'

Ik haalde mijn opschrijfboekje tevoorschijn.

'Ik kan onze bron uiteraard niet onthullen, maar ik kan u wel vertellen dat er enige twijfel is gerezen over de goederen die u exporteert.'

Hij zag eruit alsof hij elk moment kon ontploffen.

'We exporteren visdelicatessen, in afgesloten blikken. De blikken worden hier afgeleverd en ik stuur ze slechts door naar onze afzetmarkten.'

Ik keek even peinzend, zei toen, 'Er is gesuggereerd dat er iets... ehm, iets anders dan vis in uw product wordt verwerkt.'

Een enorme uitbarsting leek nu slechts nog een kwestie van tijd.

'Wat wilt u daar verdomme mee zeggen?'

Ik kon natuurlijk proberen hem te sussen, hem iets milder te stemmen, maar ach, ik mocht die eikel niet, het was een arrogante kwal die gewend was met schreeuwen en woedeaanvallen zijn zin door te drijven, dus ik besloot de druk juist nog iets op te voeren.

'Onze bron gaf aan dat u wellicht gebruik maakt van... hoe zal ik het zeggen... delen van hondachtigen.'

Het duurde even voordat het tot hem doordrong en toen begon hij te lachen. Geen doorsnee gelach, eerder een mengeling van gekraai en iets boosaardigs.

'Ik snap het al. Godallemachtig, die zuipschuit die hier laatst was, een complete nul, beweerde dat er honden waren ontvoerd en dat wij die gebruikten voor onze afzetmarkt in Azië.'

Ik peuterde aan het gehoorapparaat, probeerde het geluid zachter te zetten. Hij zei beschuldigend, 'Wilt u me soms niet horen?'

Nou, liever niet, nee.

Dus ging ik door met het uitdelen van plaagstootjes, vroeg, 'En gebruikt u dergelijk materiaal ook daadwerkelijk?'

Even had het er veel van weg dat hij me te lijf zou gaan, maar hij bedacht zich en zei, 'Dat is laster. Hoe heet u ook alweer? Dit gaat u uw baan kosten.'

Ik hield mijn stem vlak, zei, 'Ik beschuldig u nergens van, stel simpelweg een vraag. Als u onschuldig bent, waarom windt u zich dan zo op?'

Hij maakte een afwerend gebaar met zijn rechterhand, zei, 'Deze schertsvertoning is afgelopen. Als u me nogmaals wilt spreken, neemt u maar contact op met mijn advocaat. En nu als de sodemieter mijn kantoor uit.'

Ik stond op.

'Dank u wel voor de koffie.'

Dat bracht hem even van zijn stuk, maar hij herstelde zich razendsnel.

'U vindt zichzelf zeker ontzettend grappig en bijdehand, hè? Het lachen zal u echter wel vergaan wanneer ik uw baas uw functioneren tegen het licht laat houden. En wat betreft die drinkebroer, zeg hem maar dat hij zijn smoelwerk hier beter niet meer kan laten zien.'

Bij de deur zei ik, 'Dat zal een tikkeltje moeilijk gaan.'

Had altijd al eens *tikkeltje* willen gebruiken in een zin, om te kijken of het net zo pedant klonk als ik dacht.

Ja dus.

Hij stopte met ijsberen, vroeg, 'Hoezo, is hij soms net zo doof als u?'

Ik liet dit even weergalmen, zei toen, 'Nee, hij is dood. Ik zal uw condoleances overbrengen aan zijn familie.'

Bij de receptie zat de secretaresse te glimlachen en ik zag een ondeugende twinkeling in haar ogen.

Ik zei, 'Leuke man, die baas van je. Vast enig om voor te werken.'

Ze wierp een blik over haar schouder op het kantoor. De deur was dicht en ze fluisterde, 'Weet u hoe we hem hier noemen? Huilebalk.'

De fax van Keegan uit Londen was gearriveerd en ik nam hem mee naar een cafeetje, bestelde een zoet broodje en een dubbele espresso, begon door de gegevens te spitten.

Het beste van alles waren de foto's.

De vader, Bob Mitchell, bekend als Mitch, was een kleine crimineel – mishandeling met geweld, creditcardzwendel, bendelid, maar niets ernstigs. Zijn zoon Sean was negentien en kwam me op een of andere manier bekend voor, maar ik kon niet zeggen waarom. De dochter, Gail, was twintig, leuk gezichtje, niets bijzonders.

Hun moeder, Nora, was tijdens een vakantie in Galway omgekomen bij een auto-ongeluk en de bestuurder was doorgereden.

Drie keer raden wie dat was.

Rory Willis, de broer van de gekruisigde jongen. Hij was opgepakt, veroordeeld en er in afwachting van de vaststelling van de strafmaat tussenuit gepiept. Vroeger, in de goede oude tijd, draaide je meteen de bak in zodra je werd veroordeeld, maar tegenwoordig ging er wat tijd overheen voordat de straf werd bepaald en meestal kreeg je heel even om je op je opsluiting voor te bereiden. Dat kwam niet doordat we zo'n verlicht rechtssysteem hadden, het was puur een rekenkundige kwestie – de gevangenissen zaten overvol en zelfs veroordeelde personen liepen nog vrij rond.

Het vermoeden bestond dat Rory naar Engeland was gevlucht. Keegan had daar zo zijn eigen mening over: het gezin was heel hecht geweest en het meisje had na de dood van haar moeder een zelfmoordpoging gedaan. De vader was uit de openbaarheid verdwenen en het was niet bekend waar het gezin tegenwoordig verbleef.

Mijn koffie werd gebracht en ik nam een hap van het broodje. Heel zoet, maar ik kon de suikerroes wel hebben. Een dubbele espresso erbij en mijn bloed werd als een gek door mijn lijf gepompt.

Ze moesten het haast wel zijn, maar het brute geweld rond de twee moorden, een kruisiging en een verbranding, zat me dwars. Er speelde hier een overdonderende vorm van waanzin mee waar ik met mijn hoofd niet bij kon. Het bleef maar door mijn gedachten spoken. De agressie achter hun daden plaatste me voor raadsels, maar ze moesten er wel achter zitten, dat kon toch gewoon niet anders? En als het inderdaad zo was?

Zaak opgelost.

Mijn maag keerde zich om toen ik voor me zag, me inbeeldde wat ze met die jongen hadden gedaan, de daadwerkelijke spijkers, etc...
Jezus.

Ik voelde me vooral erg misselijk. Al dat geweld, een jongen kruisigen, een meisje in haar auto verbranden. Ik schoof het broodje weg. Zelfs de koffie had alle smaak verloren. De begrafenis, ik bleef er telkens op terugkomen. Als ik ging, kwam ik meer te weten, daar was ik absoluut van overtuigd.

Intussen zou ik Ridge bellen, haar de informatie geven, kijken wat ze ermee deed.

Zoals ik al zei, misschien kreeg ik het speurwerk eindelijk onder de knie. Mijn intuïtie, bevrijd van alle ruis, de duistere, verwrongen ruis van cocaïne, drank en nicotine, liet eindelijk van zich horen.

Het had lang geduurd, dat was zeker.

Heel jammer en typisch Iers dat ze zo lang op zich had laten wachten.

Mijn gevoel zei me dat Maria's begrafenis de Mitchells zeker uit hun schuilplaats zou lokken, met name het meisje. Hoe meer ik van Keegans aantekeningen en faxen had gelezen, des te zekerder ik ervan was dat zij de belangrijkste drijfveer was, de engel der duisternis. Wat volgens mij maar weer eens aantoonde dat je, wanneer je iemand maar genoeg verdriet in de schoot werpt, voldoende fysieke schade aanricht bij een in wezen fatsoenlijk mens, je best een monster kunt creëren. Ik durfde mijn overtocht naar Amerika eronder te verwedden dat ze zich zou vertonen.

Dat was ook zo.

Het weer was met geen pen te beschrijven. Om met Bob Ward te spreken, vier typen regen, allemaal even erg. Zo'n stevige bui, een die recht in je gezicht zwiepte, bijna persoonlijk werd, naar je wilde uithalen, je tot in je ziel doorweken, en allejezus, het lukte hem ook nog. Bewoners van Galway zien regen als Gods manier om duidelijk te maken: 'geef mij de Engelsen maar. Ik was erop voorbereid: mijn Gardajas voor alle weertypen, Goretex laarzen die ik tijdens een opheffingsuitverkoop in een sportzaak had gekocht, een Ierse visserspet die ik in de flat had gevonden.

Het was niet genoeg. In Galway vindt de regen altijd wel een manier om binnen te dringen, langs je nek omlaag te druppelen, in je oren, en dan heb ik het nog niet eens over de blindmakende aanval op je ogen. Mijn grootste zorg, zou het water de batterijen in mijn gehoorapparaat aantasten?

Dat was niet het geval, ook al deed het een manmoedige poging.

Een flinke opkomst voor een begrafenis.

Mijn oog viel op een meisje in een saaie zwarte jas, een zwarte baret op waar haar haren onder verborgen zaten, dat een stukje bij de andere rouwenden vandaan stond, zodat niemand met haar kon praten. Ze merkte de regen die haar gezicht teisterde niet eens op.
Ik hoorde meteen dat Maria's vader een beroerte had gehad en dat haar moeder catatonisch was, en wie kon haar dat kwalijk nemen?

Dit meisje voelde zich ongetwijfeld tekortgedaan, ze zou hun lijden niet van dichtbij kunnen meemaken. Ze deden niet meer mee en erger nog, er was geen spoor te bekennen van Rory, hun oudste zoon.

De begrafenis verliep vlot en na afloop ging ik naar haar toe, en zei zachtjes, 'Gail.'
Ik zag aan haar dat ze dacht dat het een stem in haar hoofd was, maar ze draaide zich om en ik wist dat ze een man van middelbare leeftijd zag met een vage glimlach en, oké dan, een verfomfaaid uiterlijk. Ze was verrast, het gebruik van haar naam had haar in verwarring gebracht.

'Ik ben Jack Taylor, en ja, ik weet wie je bent. Kom mee, dan krijg je een kop koffie van me.'

Ze bundelde al haar krachten, deed me af als een of andere verlopen schooier, ondanks wat ik had gezegd.

Ze zei, 'Ik ken je niet. Lazer op.'

Bij het zien van de staalharde blik in haar ogen kostte het me geen enkele moeite meer me de daden voor te stellen die zij mogelijk had begaan. Ik glimlachte breeduit, liet mijn blik over de begraafplaats glijden.

'Fraaie taal voor een begraafplaats, maar het zit namelijk zo. Kijk, deze mensen komen allemaal uit de Claddagh, een hechte groep en ze kennen me. Jij – je bent niet alleen Engels, maar als ik hun vertel dat je hun familieleden hebt vermoord, scheuren ze je aan stukken.'

Ze wierp een blik om zich heen en inderdaad, enkele mannen staarden haar al vijandig aan, geen greintje vriendelijkheid in hun ogen.

Ze zei, 'Je bluft.'

Ik spreidde mijn armen uit met de handpalmen naar boven. 'Dan geloof je me toch niet?'

Greep haar arm vast, zei, 'Dat zal ik maar als een ja opvatten.'

Ik zag dat ze het liefst naar me had uitgehaald, maar ze voelde de sfeer op die plek wel degelijk aan en wilde geen risico nemen.

Ze zei met een uitdagende blik op haar hele gezicht, 'Ik betaal mijn koffie niet zelf.'

Ik knikte, toonde dat ik voor rede vatbaar was.

'Tuurlijk niet. Maar voor de rest zul je wel betalen. Dat is geen belofte, dat is een garantie.'

Aan de rand van de Claddagh staat een klein cafeetje, een heel eenvoudig tentje. Ze hebben er geen koffie verkeerd of hippe koffiesoorten, ze zetten er flinke potten echte, sterke koffie en als je daar niet van houdt, tja, dat kan ze dan geen reet schelen. We gingen naar binnen, trokken onze kletsnatte jassen uit, namen plaats en een vrouw van eind zestig kwam naar ons toe en vroeg, nee zei, 'Twee koffie dus.'

Ik knikte.

Gail vroeg, 'Hebt u appeltaart?'

's Ochtends?

Bizar. Laten we het er maar op houden dat ze Engels was.

Ze keek me aan en heel even was ze een jong, naïef meisje. 'Ik ben dol op appeltaart.'

Een vluchtige glimp van een zachtaardig karakter, toen schoof het masker weer op zijn plek.

De koffie werd gebracht en de taart, bedekt met een dikke laag room, en de vrouw zei, 'Zo'n lief kind als jij verdient wel iets lekkers.'

Lief, dat zal vast wel... totdat ze een jonge man kruisigde en zijn zus in de fik stak.

Ze viel op de taart aan, zei tussen twee happen door, 'Ik zou je wel een stukje willen aanbieden, maar ik ben niet zo goed in delen.'

Ik liet de woorden even in de lucht hangen, zei toen, 'Dat verbaast me niets.'

Ze was in een mum van tijd klaar, veegde met een opmerkelijk zachtzinnig gebaar haar mond af en slokte wat koffie naar binnen. Ze tuurde even naar een hoek van het restaurant, alsof ze daar iets had gezien. Wat het ook was geweest, ze putte er kennelijk moed uit.

Ze keek opeens naar mij en vroeg ruw, 'Zo, klootzak, wat moet je van me?'

Van het ene moment op het andere een complete verandering. Het ene ogenblik een breekbaar poppetje, en dan opeens een regelrechte psychopaat.

Ik bestudeerde haar gezicht. Ze mocht dan ooit aantrekkelijk zijn geweest, maar de dikke laag make-up, de stand van haar kaak, deden dat teniet. Haar ogen waren haar interessantste kenmerk. Niemand heeft letterlijk zwarte ogen, maar zij kwam er wel verrekt dichtbij. Ze straalde een zekere energie uit, net een onverwachte luchtstroom uit een oven, en die was door en door kwaadaardig. Ik schoof een paar centimeter naar achteren. Als je zo dicht bij het kwaad zit, tast het je aan.

Ik vroeg, 'Wat zijn de plannen nu? De oudste broer laat zich niet zien, dus hoe ga je je tijd doorbrengen? Je hebt de smaak te pakken – wat mensen vermoorden betreft, bedoel ik. Je kunt niet meer ophouden en zal ik je eens wat zeggen? Dat wil je niet eens.'

Dat vond ze blijkbaar wel grappig. Ze staarde me met die zwarte ogen aan, haalde toen haar schouders op.

'Je weet helemaal niets van me af.'

Had ik maar een sigaret, daar was het beslist een geschikt moment voor.

'Wat valt er te weten? Je bent een sadistisch kreng, een lafaard die op gemakkelijke doelwitten aast. Dacht je soms dat je moeder trots op je zou zijn geweest? Ze zou van je hebben gekotst.'

En in de flits die in haar ogen oplaaide, zag ik heel even het beest, venijnig en moordzuchtig.

Ze boog zich naar me toe, siste, 'Gore hufter, laat mijn moeder erbuiten.'

Ik nam een slokje koffie, zei, 'Je moeder heeft met dit alles niets te maken, je doet dit alleen maar omdat je er een kick van krijgt.'

Haar lichaamstaal veranderde op slag, ze nam een lui-sensuele houding aan, tuurde in haar lege kopje, zei poeslief, 'Ik lust nog wel wat koffie.'

Ze nam me in de zeik, iets waarmee ik beter uit de voeten kon.

Ik zei, 'Haal zelf maar.'

Dat deed ze niet, ze dacht even na, zei, 'Nou, het was echt heel interessant, maar wat zou het? Je hebt geen bewijs. Als je er iets aan kon doen was ik allang gearresteerd. Je zit uit je nek te lullen.'

Niets tegen in te brengen.

'Gerechtigheid komt niet altijd uit de rechtszaal,' zei ik.

Dat vond ze prachtig, vroeg, 'Geloof je nou echt dat je me aan kunt, zo'n verlepte, oude zak als jij? Je hebt een gehoorapparaat, je loopt mank, je hebt een plattegrond nodig om je lul te vinden.'

Misschien was het arrogantie, of misschien kwam het doordat ik die kerel van de groothandelsfirma zo verachtte, of misschien had zij me wel gewoon aangestoken, maar plotseling besloot ik twee vliegen in één klap te slaan. Het kwam zomaar uit het niets bij me op, en misschien gebeuren de allerergste dingen wel altijd zo, in een opwelling van slechtheid.

Ik zei, 'Over mij hoef je je geen zorgen te maken.'

Had nu haar volledige aandacht en ze vroeg wat ik bedoelde.

Ik zei op trage, afgemeten toon, 'Een man, een zekere King, eigenaar van een groothandelsfirma aan Father Griffin Road, had een oogje op Maria en blijkbaar kan hij aantonen dat jij achter die brand zit.'

Ik zag dat haar mond geluidloos zijn naam vormde, toen zei ze, 'Zeg hem maar dat hij zich niet met mijn zaken moet bemoeien.'

Ik vond het geweldig dat ik haar op de kast had gekregen, ging nog iets verder.

'Ik ga daar niet over, maar die kerel heeft poen. Ik, ach, ik ben een nul, zoals je zelf al zei. Maar die gozer, die heeft de middelen om ervoor te kunnen zorgen dat je wordt gepakt.'

Haar ogen gingen even dicht en godzijdank kon ik niet zien wat zij zag.

Ze kwam terug, zei, 'Ik ga nu.'

Ik staarde haar aan, ze kwam bijna normaal over.

Toen, 'Blijf verdomme uit mijn buurt, Taylor, en wie weet, misschien verlies ik dan wel alle belangstelling voor jou.'

Ik staarde terug, zei, 'Tja, dat is het hem nu net, meid. Ik ben niet van plan alle belangstelling voor jou te verliezen. Eigenlijk wilde ik zo zelfs even met je broer gaan babbelen. En ik weet ook waar je woont, wist je dat al?'

Haar hand zwaaide omhoog en ze wist zich alleen met een uiterste krachtsinspanning in te houden.

'Slaap lekker, Taylor. Op een mooie avond word je wakker, en dan sta ik naast je bed, hoor je het geluid van een lucifer die wordt afgestreken.'

Ik verblikte of verbloosde niet, zei, 'Ik zal op je wachten. Misschien kan ik je dan zelfs de Ierse versie van een kruis laten zien.'

Ze vatte het niet, moest het per se weten, beet me haast toe, 'Wat bedoel je daar goddomme mee?'

'O, ongeveer hetzelfde wat je met die knul hebt gedaan, met één verschil.'

Ze trok haar wenkbrauwen afwijzend op, vroeg, 'En wat is dat dan?'

'Veel meer spijkers.'

En weg was ze, als een schim die eigenlijk niet in het daglicht thuishoort.

18

Komt tijd, komt raad.

Ik ging naar de begraafplaats, vol schuldgevoel omdat ik niet bij Cody's begrafenis was geweest. Wat moest ik meenemen?

Een beetje te laat voor bloemen en hij was daar toch ook niet het type voor. Hij had gedweept met een band die Franz Ferdinand heette, dus kocht ik een van hun cd's, en de assistent in de platenzaak zei tegen me, 'Ze zijn over hun hoogtepunt heen.'

Alsof ik daarom had gevraagd.

Ik zei bijna, *Cody ook.*

Het regende. Volgens mij geldt op begraafplaatsen het voorschrift dat het er móét regenen. Ik liep tussen de kruisen van de doden door en deed heel hard mijn best de opschriften niet te lezen. Ik sjouwde genoeg overleden personen met me mee om een heel klooster eeuwig aan het bidden te houden. Verwonderde me opnieuw over het feit dat alleen wij een begraafplaats hebben met een protestante en een katholieke kant.

In het noorden vroegen ze zich af waarom het vredesproces wederom in duigen was gevallen en hier werden zelfs de doden van elkaar gescheiden.

Ik had het graf binnen vijf minuten gevonden, een klein, tijdelijk bordje met slechts Cody's naam en sterfdatum. Je mag in het eerste jaar geen grafsteen plaatsen. Waarom is dat? Alsof je nog van gedachten verandert en opeens bedenkt, *ik heb tijd gehad om er nog eens goed over na te denken en ik denk dat ik maar afzie van een gedenksteen.*

De plek waar hij was begraven lag vol bloemen, miniatuurbeeldjes van alle heiligen op de kalender, kleine pluchen beesten, nu al doorweekt van de regen, en een ingelijste foto van Cody zelf. Hij leek niet echt goed en ik was een beetje opgelucht. Het was een portret uit een fotostudio en hij zat gewoon nooit lang genoeg stil voor zo'n staatsieportret. Ik was niet bekend met de gedragsetiquette bij een graf. Kniel je neer, bid je, kijk je bedroefd als onderdeel van het ritueel? Of doe je wat anders?

Ik knielde.

Fuck.

Terwijl mijn broek gras en aarde opzoog – een ellende om dat weer schoon te krijgen – legde ik de cd op het voeteneinde en ik zei, 'Je had echt mijn troonopvolger kunnen worden.'

Zei het met een Amerikaans accent, daar was hij gek op. Ik geloof dat ik het ook echt meende, hoewel het net als de fraaiste gebeden vanbinnen hol klonk. Niet de woorden, die waren net zo goed als alle andere, alleen maar onecht.

Ik krabbelde overeind, voelde mijn knie zeuren en hoorde, 'Meneer Taylor.'

Draaide me om en zag Cody's moeder staan. Ik had haar alleen die ene keer gezien, toen haar man me in het gezicht spuugde. Ze was gekleed in een dikke, zwarte jas, net zo donker als de schaduwen onder haar ogen. Ik knikte, had geen flauw idee wat ik moest zeggen.

Ze keek naar het pakje dat ik had neergelegd en ik zei, 'Een cd.' Voelde me niet alleen goedkoop, maar ook belachelijk.

Ze knikte, zei, 'Hij was gek op muziek.'

Kan een stem moe, versleten zijn?

Die van haar wel.

Ze stak een hand uit en ik kromp in elkaar, verwachtte een klap. Ze raakte zacht mijn arm aan, zei, 'Hij bewonderde u enorm.'

O, God.

Ik moest het zeggen, hoe zwak het ook klonk.

'Ik vind het echt vreselijk.'

Ze staarde naar zijn foto, in haar ogen alle droefheid die je ooit bij elkaar zou zien.

Ze zei, 'Als je je kind verliest, verliest het leven alle zin.'

Voordat ik een of ander walgelijk cliché te berde kon brengen, ging ze verder, 'U bent iemand om wie verlies heen stroomt.'

En één afschuwelijk moment lang dacht ik dat ik zou doordraaien.

Ze voegde eraan toe, 'Ik heb geen hekel aan u, meneer Taylor, u hebt Cody heel even een echt doel gegeven.'

Ik wilde haar bedanken, maar mijn stem liet me in de steek.

Ze vervolgde, 'Als ik mijn gebeden nog zei, zou ik zelfs proberen voor u te bidden. Maar ik denk dat u, net als ik, buiten het bereik van goddelijke hulp bent.'

Ik was talloze keren door experts vervloekt, maar geen enkele opmerking had me erger verdoemd dan die van haar. Het was de kalme toon van totale overtuiging.

'Ga nu alstublieft, ik wil alleen zijn met mijn jongen.'

Ik schuifelde weg, prevelde in mezelf, 'Hier loopt een ten dode opgeschrevene.'

Ik had met Ridge afgesproken in Jury's Hotel, aan het eind van Quay Street. Er zat daar een koffiebar die zichzelf liet voorstaan op stijl. Dat is wat ze in de aanbieding hebben, en ik weet het zo net nog niet, geloof eigenlijk niet dat het kopen van koffie je stijl kan verlenen, hoe veel je ook voor dat verrekte spul neertelt, maar ach, wat weet ik er verdomme ook van? Ik bestelde een dubbele espresso, maar het apparaat was kapot, dus nam ik een cola light.
Toen Ridge arriveerde, zag ze er heel wat zelfverzekerder uit dan ze er de laatste tijd had bij gelopen. Ze had een leren jack aan, zo'n kort bomberjack, en een rok!

Ik staarde naar haar benen en ze keek me nijdig aan.

Ik zei, 'Wat is er? Je draagt altijd een spijkerbroek, dus ik vroeg me gewoon af wat je te verbergen had.'

Ze was razend, maar, vrouw zijnde, ook nieuwsgierig. Vroeg, 'En...?'

Haar vriendelijk bejegenen was altijd vol risico's, dus ik antwoordde, 'Ik heb weleens erger gezien.'

Ze ontdekte mijn gehoorapparaat en mijn gekneusde handen.

'Wat, heb je je een heel nieuw imago aangemeten? En nu? Hoop je soms dat ze een nieuwe remake van *Rocky* gaan opnemen?'

Ik keek haar nijdig aan, zei, 'Je maakt grapjes, drinkt 's ochtends alcohol – volgens mij zit je zelf in een midlifecrisis.'

Ik had haar de kopieën gegeven die Keegan me uit Londen had toegestuurd en haar over mijn ontmoeting met Gail verteld. Nu vroeg ik, 'Wanneer gaan ze hen arresteren?'

Ze wendde haar blik af, gaf geen antwoord en ik voelde ongeloof in me opwellen.

'Je hebt alles wat je nodig hebt, vertel me alsjeblieft dat ze er iets mee gaan doen.'

Ze haalde diep adem.

'Het is allemaal indirect, er zijn geen harde bewijzen en de heersende gedachte is dat dit Engelse gezin in Ierland een dierbare is verloren; om hen nu zonder bewijsmateriaal te beschuldigen van deze weerzinwekkende misdaden zou het toeristenseizoen kunnen schaden, de relatie tussen Groot-Brittannië en ons verstoren, en...'

Ik onderbrak haar, 'Ja, ja, ik weet hoe het in zijn werk gaat, maar allejezus nog aan toe!'

Ik kon geen woorden vinden om uiting te geven aan mijn frustratie. Tuurlijk, het systeem, zoals de Amerikanen dat zeggen, was klote, maar godallemachtig, ik had haar de oplossing kant-en-klaar in de schoot geworpen, dus ze moest toch zeker wel iets kunnen doen?
Ik ramde van woede met mijn hand tegen mijn voorhoofd. Ik kon wel gillen.

'Ik geef je dus de zaak uitgezocht, opgelost en afgerond terug, en nu – helemaal niets?'
Haar gezicht weerspiegelde mijn ontzetting en ik begreep dat het geen zin had de schuld bij haar te leggen. Ik probeerde mijn boosheid te temperen. Moge God me vergeven en mijn excuses aan Eoin Heaton, maar ik had al mijn hele leven lang op de verkeerde hond gewed.
Ik mompelde, 'Ach, fuck... fuck nog aan toe.'

'We houden hen in de gaten. Officieel wordt ontkend dat er nieuwe aanwijzingen zijn opgedoken.'

Jezus, wat was ik moe.

'Ooit van Claud Cockburn gehoord?' vroeg ik.

'Wie?'

'Hij zei eens, "Nooit iets geloven tot het officieel wordt ontkend".'

Ik kon het niet langer negeren.

'Die onderzoeken, jouw, ehm... bezorgdheid over je, ehm... gezondheid. Al iets gehoord?'

Ze reageerde vermaakt op mijn aarzeling om het woord *borst* te gebruiken en het deed me goed haar te zien glimlachen.

Ze zei, 'Er is een biopsie uitgevoerd – geen aangename ervaring – en ze hebben me verzekerd dat de resultaten binnenkort bekend zullen worden.'

Ze maakte zich zorgen, voegde eraan toe, 'En jij, Jack, geen gekke dingen doen, oké?'

Ik liet mijn blik door Jury's glijden, zei, 'Ikke? Nee, ik gedraag me in stijl.'

Buiten trapte ik uit pure frustratie tegen een muur en een langslopende vent grapte, 'Zeker weer de loterij niet gewonnen?'

Stad van godvergeten grapjassen.

Drie dagen later brandde Kings groothandelsfirma tot op de grond toe af. De Guards kwamen me voor het middaguur halen, met z'n tweeën, in uniform, inclusief de nieuwe jas, en uiteraard de verplichte schoenen met dikke zolen. Plus de standaard domme blik in hun ogen.

De eerste, een oudere man, zei, 'De hoofdinspecteur wil je spreken.'

De tweede zag eruit alsof hij me het liefst meteen een knal voor mijn bek had verkocht.

Terwijl ik in de politiewagen stapte, vroeg ik aan de oudste, 'Waarom zit je partner zich zo op te vreten?'

Hij haalde zijn schouders op. 'Hij mag je niet.'

Ik keek naar de man, die achter in de twintig was, vol gal en azijn, het nieuwe ras, studeerde waarschijnlijk in de avonduren.

'Hij kent me niet eens,' merkte ik op.

De man lachte. 'Erger nog, hij weet veel over je.'

Ik richtte het woord tot het jonge heethoofd. 'Je wilt me zeker niet vertellen waarom ik moet meekomen?'

Hij straalde een en al ingehouden woede uit, zei, 'Kop dicht.'

Dat is de Ierse versie van de Mirandawaarschuwing.

Ze brachten me regelrecht naar het kantoor van Clancy, de grote baas, de hoofdinspecteur. Ooit mijn beste vriend, we hadden als wijkagent samengewerkt, hadden samen de beginselen van het politievak geleerd. Toen volgde mijn ontslag, mijn vrije val. En hij, hij klom steeds hoger in de politiehiërarchie, langzaam, maar gestaag. Hij kwam uit Roscommon, daar weten ze wel hoe je zoiets aanpakt en hij wist het beter dan de meesten. In de loop der jaren was onze relatie in een open oorlog ontaard. Hij liet me van tijd tot tijd oppakken, probeerde me nog net niet onschadelijk te maken, maar toch zeker wel te intimideren.

Hij zat achter een gigantisch bureau, in vol ornaat, met alle decoraties op zijn borst als een overvloed van slechte smaak. Zijn gezicht was ingevallen en in elk stukje van zijn huid stonden diepe lijnen gegroefd. Ik vermoed dat dát de prijs is die je ervoor betaalt. Hij keek niet meteen op van de paperassen die op zijn bureau lagen uitgespreid, klapte eerst een map dicht, hief toen zijn hoofd op en zei, 'Timmins, je kunt wel gaan.'

Dat was de oudste Guard. En tegen het jonge heethoofd, 'Jij blijft bij meneer Taylor en mij.'

Clancy wees naar de harde stoel voor hem en gebaarde dat ik moest gaan zitten.

Dat deed ik.

Het jonge heethoofd bleef achter me staan.

Ik wachtte rustig af.

Clancy leunde achterover in zijn bureaustoel, zei, 'Je bent weer flink bezig geweest.'

Ik zei, 'Je moet iets duidelijker zijn.'

De jonge vent en hij wisselden een blik van verstandhouding, en ik begreep dat het korps een nieuwe puinruimer had – het jonge heethoofd, dat overduidelijk niets van me moest hebben. Er is er altijd wel één bij, zo'n kerel die het vuile werk opknapt, als een robot opdrachten uitvoert.

Clancy zei, 'Meneer King, een vooraanstaand zakenman, een steunpilaar van de maatschappij – zijn groothandelsfirma is tot de grond toe afgebrand en het was geen ongeluk.'

Ik deed alsof ik hier diep over nadacht, vroeg toen, 'Laat me eens raden, hij is zeker lid van de golfclub, een van jouw maatjes?'

Ik voelde dat het jonge heethoofd achter me zich verroerde, maar weerstond de verleiding me om te draaien.

Clancy ging er niet op in, vervolgde zijn betoog.

'Een paar dagen geleden is iemand van het ministerie van Volksgezondheid bij hem langs geweest, een man die opvallend veel gelijkenis met jou vertoont en nauwelijks verhulde dreigementen heeft geuit. Eerder heeft een alcoholist, een uit de gratie gevallen voormalige Guard, vergelijkbare dreigementen gespuid. Wat deze twee met elkaar gemeen hadden, was een vergezochte theorie dat meneer King zijn handelswaar aanvulde met hondenvlees.'

De vent achter me hinnikte, er is gewoon geen ander woord voor.

Clancy wachtte op mijn reactie, maar ik staarde hem slechts aan.

Toen vroeg hij, 'Ben je nu soms privédetective voor huisdieren? Is het niet al erg genoeg dat je een kind hebt vermoord, de dood van een jonge knul op je geweten hebt – val je nu ook eerbare burgers lastig?'

Ik dwong mezelf zijn opmerkingen van me te laten afglijden en vroeg, 'Ben ik gearresteerd?'

Hij stond op.

'We hebben contact opgenomen met het ministerie van Volksgezondheid en als zij een klacht willen indienen, zullen we hen maar al te graag van dienst zijn. Voorlopig wil ik je alleen dit aanraden: steek je neus verdomme niet langer in Gaurdzaken. Als je per se iets wilt doen, waarom zoek je dan niet uit wie de jonge man heeft neergeschoten voor wie jij verantwoordelijk was?'

Ik klemde mijn kaken op elkaar. 'O, dat zal ik zeker doen.'

Hij liep om het bureau heen en boog zich over me heen. Zijn aftershave was duur en overweldigend.

'Dat hebben wij al gedaan en zal ik je eens wat vertellen? Tot onze grote verrassing was het de moeder van dat kleine meisje dat jij hebt vermoord.'

Ik probeerde niet te laten merken dat ik verbaasd was. 'Hebben jullie haar opgepakt?'

Hij rechtte zijn rug, schudde een pluisje van zijn schouder. 'Dat doen we zodra we haar hebben gevonden. Het is alleen zo dat we eigenlijk hopen dat ze nog een poging onderneemt en dat we haar dan op heterdaad betrappen, nadat ze haar… kwalijke missie heeft volbracht.'

En weg was hij.

Voordat ik kon opstaan om te vertrekken, sloeg de jonge gozer me keihard op mijn oor, door de klap tuimelde ik van de stoel en viel mijn gehoorapparaat op de grond. Hij stampte erop met zijn hak, maalde het ding fijn, bukte zich en schreeuwde, 'Versta je me, hufter? Bemoei je goddomme niet met Guardzaken.'

Ik verstond het maar al te goed.

19

'Omdat we niet weten hoe dichtbij de waarheid is, zoeken we haar ver weg.'

Hakuin

De Amerikanen hebben een prachtige uitdrukking om iemand verbaal aan te vallen. Wanneer je iemand er echt van langs wilt geven, zeggen ze, *scheur een nieuw schijtgat in zijn lijf.*

Dat deed ik bij Ridge.

Op deze manier.

'Fuck! Wanneer was je van plan me over Cathy Bellingham te vertellen?'

Ik had haar gevraagd – fuck, nee, *opgedragen* naar het Great Southern Hotel te komen en de hoorn van de telefoon er met een harde knal op gesmeten.

Ik was er als eerste, liep door naar de achterkant van de bar, onder het borstbeeld van James Joyce door, staarde hem aan, schreeuwde bijna, *fuck man, wat zit je nou te kijken?*

Jawel, schreeuwen tegen de bronzen kop van een van Ierlands bekendste schrijvers, dan ben je echt helemaal doorgedraaid óf je hebt net gehoord dat je de Booker Prize niet hebt gewonnen.

De portier kwam naar me toe. Hij en ik hebben een lange voorgeschiedenis, grotendeels onaangenaam, dus hij zei voorzichtig, 'Lang niet gezien, Jack.'

Zijn stem klonk zacht, alsof hij niet goed wist of ik nu weer dronk of niet. In dat laatste geval zou hij meteen de benen nemen. Zoals ik al zei, een lange voorgeschiedenis.

Ik ging zitten, richtte mijn lege ogen op hem. 'Kan ik je soms ergens mee helpen?'

Hij lachte zenuwachtig. 'Dat hoor ik eigenlijk te zeggen. Ik werk hier tenslotte.'

Luchtig, alsof we gewoon een stel oude vrienden waren die elkaar vrolijk zaten te pesten.

Ik zei, 'Dan zou ik maar aan het werk gaan als ik jou was, laat je door mij niet tegenhouden.'

Hij keek om zich heen – zocht hij hulp?

Die kwam niet, dus hij vroeg, 'Ik, ehm, vroeg me af of je misschien iets wilde bestellen – thee, koffie?'

'Ik vind het best, als ik maar van je gezeik af ben.'

Hij verdween.

Ridge kwam binnen, gekleed in een mooi nieuw suède jack, strakke spijkerbroek en van die puntige laarzen die heel pijnlijk moeten zitten. De portier zei iets tegen haar en ik zag haar knikken, dus ik ging ervan uit dat hij haar had gewaarschuwd dat ik niet bepaald mild gestemd was. Volgens mij kwam dat niet echt als een verrassing voor haar. Ze liep naar me toe, met doelbewuste tred, alsof ze niet van plan was over zich heen te laten lopen.

'Wat had je?'

Ik stak meteen van wal. Ze moest er even van bijkomen, vroeg toen, 'Hoe weet je dat van Cathy Bellingham?'

Cathy… O God, wat een lange, pijnlijke voorgeschiedenis hadden wij. We hadden elkaar leren kennen nadat ze vanuit Londen in Galway verzeild was geraakt. Ze was net afgekickt van de heroïne, was een echte punker, had een zwaar leven achter de rug. Ze zong als een engel en had de scherpe tong van een viswijf. We konden het meteen goed vinden. Ze hielp me met een aantal zaken, ik stelde haar voor aan mijn beste vriend Jeff, en verdomd nog aan toe, het klikte, ze trouwden en kregen een dochtertje met het downsyndroom, Serena May. Zij had echt een geldige reden om me dood te willen hebben.

'Van Clancy. Je weet wel, jouw baas?'

Ze liet dit tot zich doordringen, zei toen, 'Haar appartement is doorzocht en daar zijn kogels aangetroffen die overeenkwamen met het geweer, het… ehm… wapen… dat is gebruikt.'

Ze omzeilde subtiel het gebruik van Cody's naam. Dat begreep ik wel, het kostte mij ook moeite zijn naam uit te spreken.

'En wat doet ze dan nu, even afgezien van het zoeken van een geschikte plek om me nog eens onder vuur te nemen?'

Ridge liet haar hoofd zakken, mompelde iets onverstaanbaars.

Het was me gelukt het oorstuk te laten repareren. Ondanks de harde uithaal van de Guard had hij alleen het omhulsel gebroken. Stevige, kleine krengen – die oorstukken, bedoel ik.

Ik paste het volume aan en zei, 'Je moet harder praten.'

'Dat weten we niet.'

Ik leunde achterover, liet haar woorden tussen ons in hangen, zei toen, 'Wat hebben we nu aan jullie? Ik geef jullie voldoende bewijsmateriaal om een gezin van psychopaten in de kraag te vatten en jullie doen geen moer. Jullie hebben bewijzen op basis waarvan jullie degene kunnen oppakken die heeft geprobeerd me neer te knallen, maar jullie kunnen haar niet vinden. Hebben jullie tegenwoordig dan tenminste het verkeer nog een beetje in het gareel of hoe zit het?'

Haar antwoord was echt het toppunt. 'Ik begrijp dat je gefrustreerd bent.'

Ik sprong overeind – nou ja, voor zover dat met een manke poot gaat – zei, 'Je begrijpt er geen reet van.'

En stormde weg.

Ik moest iets om handen hebben, dus concentreerde ik me op de zwakke schakel van dat moordlustige gezinnetje: de broer, Sean.

Volgens de informatie die Keegan had gestuurd was muziek zijn enige liefde, dus postte ik bij muziekwinkels en zaken waar ze muziekinstrumenten verkochten. Saai, frustrerend werk, maar ik had toch niets beters te doen.

Na drie stomvervelende dagen stond ik op het punt er de brui aan te geven, maar toen zag ik hem opeens. In een zijstraatje van Dominic Street, waar hij een winkel binnenging waar ze tweedehands gitaren verkochten. Hij stond er een te bekijken die aan de muur hing en ik ging achter hem staan.

'Mooi instrument.'

Hij draaide zich razendsnel om. 'Kennen wij elkaar?'

En opeens werd het me duidelijk, de foto, dat knagende gevoel dat ik hem ergens van kende. Hij was die grungefan, het evenbeeld van Kurt Cobain uit dat cafeetje in winkelcentrum Eyre Square .

Zijn ogen lichtten opeens op, hij herinnerde zich mij ook.

Hij wilde zich langs me heen wurmen en ik greep hem bij zijn arm, niet echt zachtaardig, ik voelde een zenuw en kneep.

'Hé, dat doet pijn.'

De forse kerel achter de toonbank hief zijn hoofd op en vroeg, 'Problemen?'

Ik zei tegen Sean, 'Ik heb je zus gesproken. Moet ik die vent over de kruisiging vertellen of gaan we rustig ergens een kop koffie drinken? Dan kunnen we het over je band hebben.'

Hij rukte zijn arm los en liep naar buiten.

Ik keek de man achter de toonbank aan, wees op de gitaar, zei, 'We zijn even met de muziek mee.'

Sean stond buiten te wachten. Er lag een dun laagje zweet op zijn voorhoofd, maar toch wreef hij in zijn handen alsof hij het koud had.

Ik zei, 'De Galway Arms, daar hebben ze goede koffie, en wie weet, als je je gedraagt, krijg je misschien wel een taartje.'

We gingen op pad en hij zei, 'Ik houd niet van zoetigheid.'

Christus, moest ik toch bijna lachen.

De eigenaar begroette me vriendelijk en Sean zei spottend, 'Jij kent ook iedereen.'

Anders dan zijn zus sprak hij met een duidelijk herkenbaar Brixtons accent. Haar uitspraak klonk beschaafder. Als je iemand anders wilt worden, is het aanleren van een nieuwe uitspraak waarschijnlijk een van de minst moeilijke kanten, denk ik zo.

Ik zei, 'Waar het om gaat, knul, is dat ik jóú ken.'

De eigenaar bracht een pot koffie en een paar kopjes, en zei, 'Laat het maar lekker smaken.'

Sean wachtte tot de man weg was, zei toen, 'Je kent me helemaal niet.'

Hij haalde een pakje vloeitjes en wat tabak tevoorschijn, en begon er een te rollen.

'Je mag hier niet roken, dat is bij de wet verboden. Je bent hier lang genoeg om dat te weten.'

Hij propte de tabak in zijn jaszak, zei, 'Stomme kutwet.'

Ik glimlachte. 'En de wet geldt uiteraard niet voor jou of jouw familie, hè?'

Ik schonk koffie in, keek hem aan. Hij had de lichaamstaal van een geslagen hond die zijn hele leven leefde in afwachting van de volgende klap en daar zelden lang op hoefde te wachten. Ik was gewoon een van de velen in een lange rij van mishandelaars. Zijn gezicht zat onder de acne en zijn lippen waren gebarsten, kapot van het vele zenuwachtige gelik. Hij had smalle handen. Wie weet, misschien had hij wel muzikant kunnen worden. Zat er nu niet meer in.

'Volgens mij sta jij helemaal niet achter deze… gebeurtenissen. Je wordt meegesleept, en zal ik je wat zeggen? Drie keer raden wie de pineut is wanneer de pleuris losbreekt, en dat gaat gebeuren en snel ook. In elk geval niet je zus, die is daar veel te slim voor.'

Hij hief zijn kopje op, met een zacht bevende hand, maakte een slurpend geluid, bijna een kreun, en zei toen, 'Ik ben niet bang voor je.'

Dat was hij wel. En niet alleen voor mij, maar voor alles wat er op aarde rondliep. Typisch een van de vele voor de hand liggende slachtoffers op de wereld. Ik kreeg bijna medelijden met hem.

Bijna.

Ik zei, 'Voor mij hoef je ook niet bang te zijn. Misschien ben ik zelfs wel je laatste hoop.'

Hij probeerde hard over te komen, had waarschijnlijk zijn hele leven op een gelegenheid gewacht, deed een zwakke poging tot spottend gegrinnik. 'Ja hoor, tuurlijk.'

Hoog tijd om hem de stuipen op het lijf te jagen. Zijn enige kans op bravoure en ik denderde als een stoomwals over hem heen.

'Er liggen voor jou slechts een of twee dingen in het verschiet. Je wordt opgepakt of je blijft doorzoeken naar de onvindbare broer naar wie jouw familie zo wanhopig op zoek is. Rory, zo heet hij toch? Het antwoord daarop weet jij waarschijnlijk beter dan ik, maar het kan gewoon niet goed aflopen. Daar zijn we het toch over eens, neem ik aan? Tijdens mijn gesprekje met je zus kon ik in elk geval geen familiale genegenheid ontdekken.'

Hij staarde me aan. 'Ik weet niet wat familiale genegenheid is.'

Jezus.

Ik zuchtte. Deze knul vermorzelen was niet zo eenvoudig als het in eerste instantie had geleken. Christene zielen, hij was net een puppy op een drukke weg die hoopte dat een auto zou stoppen en hem zou meenemen. Ik ging verder, ook al was de lust me totaal ontgaan.

'Of je gaat de gevangenis in. En een knul als jij, met dat lange haar, een zwakke persoonlijkheid, die beuken ze nog voor het avondeten als een vrachttrein in zijn achterste, en dat is dan alleen nog maar het begin.'

Moeilijk te zeggen welk vooruitzicht hem de meeste schrik aanjoeg. Zijn lichaam trilde hevig en hij zei, 'Ik wil alleen maar naar huis. Weg hier.'

Geen gesputter dat hij onschuldig was, dat ik er helemaal naast zat, totaal geen verzet.

Ik zei, 'Zit er niet in, jongen.'

Hij begon te huilen. Ik had alles kunnen hebben – alles, verdomme – behalve dat. Ik wilde al een hand naar hem uitsteken, maar ja, wat dan?

Ik liet hem uithuilen, zei toen, 'Stop ermee. Ik zal je helpen, ervoor zorgen dat je een mooie deal krijgt aangeboden.'

Hij depte zijn ogen, zei toen, 'Ik moet echt een peuk hebben.'

Ik liet wat biljetten achter op de tafel en volgde hem naar buiten. Hij wachtte niet op me, liep meteen weg en ik liep achter hem aan.

'Wat wordt het, knul? Doe je met mij mee? Dit is hét moment, je moet nú kiezen.'

Hij bleef staan, draaide zich om, schonk me zo'n intens gekwelde blik dat ik van hem wegkeek, en zei toen, 'Ik kan het niet, ze vermoorden me.'

'Ze vermoorden je toch wel.'

Hij tuurde door de straat, zijn ogen vol angst, maar ik zag niemand. Hij zei, 'Ik hoop het.'

Toen ik eindelijk thuiskwam, was ik helemaal kapot, maar ik was niet te moe om de geur van rook te ruiken. Ik liep voorzichtig mijn piepkleine woonkamer in. Al mijn boeken waren op een hoop gegooid, in brand gestoken en lagen zacht smeulend op de grond.

Ik ging naar de badkamer, liet de wasbak vollopen met koud water en doofde mijn geliefde bezittingen.

Toen viel mijn oog op de tafel. Er stond een speelgoedautootje op dat eveneens was verbrand, en op de voorste stoel zag ik een kleine gedaante zitten, verkoold maar nog altijd herkenbaar. Stelde een meisje voor, vermoedde ik. En onder het autootje een briefje:

WARM GENOEG VOOR JE?
GAIL

Dat vuile kreng.

En toen, in een bizarre vlaag van waanzin, dacht ik bij mezelf, meid, dankzij jou hoef ik in elk geval niet meer te bedenken wat ik met mijn boeken moet doen. Nu ik binnenkort naar Amerika ga, twijfelde ik welke ik zou meenemen. Dat probleem is gelukkig opgelost.

Mijn woede nam echter met de minuut toe. Niet alleen was ze in mijn huis geweest, maar ook had ze me het enige afgenomen wat nog belangrijk voor me was. Boeken waren het enige waar ik van op aankon, de enige troost die ik nog had, en ik zweer het, die smerige, gestoorde psychopaat wist het, wist verdomme waar ze me het hardst kon raken.

Ik haalde diep adem, probeerde me voor te stellen dat ik over een maand in het vliegtuig zat, en dit alles achterliet. Slaagde er echter niet in de wervelwind van pure haat die in me woelde tot bedaren te brengen en ik zwoer, 'Voordat ik vertrek ga je eraan, meid, dat zweer ik bij alles wat me heilig is, ook al is dat het laatste wat ik doe. Ik breng die krankzinnige galop van jou tot stilstand.'

20

'Een kruis biedt twee mogelijkheden: je kunt eraan worden vastgenageld... of het helemaal uit eigen vrije wil meetorsen.'

Iers gezegde

Ik moest mezelf beschermen.

Er bestond een kans dat Gail me nogmaals als doelwit zou gebruiken en dan met ernstiger gevolgen. Ik moest me erop voorbereiden en als ik het tegen het hele gezin wilde opnemen, of op zijn minst tegen Gail en haar vader, moest ik met iets meer op de proppen komen dan alleen een stoere houding. Als je vandaag de dag een vuurwapen wilt aanschaffen in Galway, heb je keus te over. Er zijn hier nu zo veel verschillende nationaliteiten dat wapens steeds gewoner worden. Kom je regelmatig in pubs, in achterafsteegjes, dan weet je binnen de kortste keren waar je drugs kunt scoren, hoeren, alles waar je maar trek in hebt.

Ik ging naar een pub in Salthill, niet een plek waar ik voor de lol naartoe zou gaan. Hij staat een eind van de winkelstraten vandaan en ziet er vervallen uit. Hij ís ook vervallen en heeft een nieuw reputatie verworven als plek voor de in- en verkoop van... alles wat je maar wilt.

Een Oost-Europeaan die naar de naam Mikhail luisterde en die, afhankelijk van wat voor dag het was, de Russische, Kroatische, Roemeense nationaliteit bezat, of nog een andere die ik niet eens kon uitspreken, hield er hof aan een tafel bij het raam. Binnen een maand zou hij naar een andere plek verkassen, maar momenteel dreef hij zijn handel aan de rand van de oceaan. Ik kende hem, weliswaar niet echt goed, maar goed genoeg, dus toen ik hem vroeg, 'Wil je wat van me drinken?', reageerde hij instemmend. Hij had het korte, stekelige kapsel dat we vroeger als borstelkop aanduidden, een lang gezicht dat onder de littekens zat, en volledig uitdrukkingsloze ogen. Hij was broodmager, op het uitgemergelde af, en zijn leeftijd zat ergens rond eind veertig, een uitgebluste vijftig. Hij zei dat een glas wodka zeer welkom zou zijn. Ik ging het halen, bestelde zelf een Pepsi light, en nam plaats aan de tafel.

Hij keek naar mijn glas, vroeg, 'Jij niet drinkt Coca-Cola?'

Alsof hem dat ook maar iets kon schelen.

Ik zei, 'Ik ben op dieet.'

Hij bekeek mijn handen. De schaaf- en snijwonden genazen goed, maar waren nog steeds zichtbaar, en hij vroeg, 'Jij straatvechter?'

Zodra ik het pistool had gekocht, schoot ik hem misschien wel neer.

'Niet mijn eigen keuze.'

Het goede antwoord. Hij vond het geweldig, lachte keihard en toonde een mond vol rottende tanden en kiezen met hier en daar spikkeltjes – goud? Ik zou ervoor zorgen dat ik hem niet nogmaals aan het lachen maakte.

'Is nummer van Rolling Stones. Jij vindt goed, ja?'

Tuurlijk, mijn lievelingsnummer.

Ik zei, 'Mijn lievelingsnummer.'

Fuck, nog meer gelach, en hij zei beschuldigend, hoewel op gemoedelijke toon, 'Jij maakt grap met mij, ja?'

En ik was verstandig genoeg om te antwoorden, 'Vóór jou, niet óver jou.'

Hij knikte. Het leed geen enkele twijfel, we waren voor elkaar geschapen.

Toen gooide hij de wodka in één teug achterover, vroeg, 'Wat ik kan voor jou doen, meneer straatvechter?'

Ik boog me naar hem toe, zei dat ik een pistool nodig had.

Zijn gsm ging over, maar hij schonk er geen aandacht aan, zei, 'Alsjeblieft, jij meekomt naar mijn kantoor.'

Ik volgde hem naar buiten, langs de kerk van Salthill.

Hij had een gedeukt bestelbusje, opende het, vroeg, 'Alsjeblieft, jij meegaat met mij hierin.'

We stapten in en hij zocht even achterin, haalde een zware, in doeken gewikkelde bundel tevoorschijn en pakte deze uit, waarna een Glock, een Beretta en een Browning Automatic zichtbaar werden. Een waar wapenparadijs. Dat hij vlak naast de kerk handel dreef, was bizar genoeg in dit nieuwe Ierland nog logisch ook.

Ik vroeg, 'Ben je niet bang dat het busje wordt gestolen?'

Hij ontblootte zijn tanden weer, ik durf te zweren dat hij knorde, toen zei hij, 'Wie durft van mij stelen?'

Alsof ik inside-information had.

Om hem af te leiden vroeg ik de prijs van de Glock en die was te hoog.

Ik zei, 'Te hoog.'

Hij haalde zijn schouders op, alsof hij wilde zeggen: *wat je zegt.*

Met een volle ronde munitie was het meer dat ik had verwacht te moeten betalen, maar ach, ik kon moeilijk de Gouden Gids raadplegen.

Ik vroeg, 'Hoe weet je dat ik niet van de politie ben?'

Bulderende lach. 'Jij?'

Ik vroeg hem maar niet dat nader uit te leggen.

Hij wees naar mijn gehoorapparaat.

'Jij niet goed hoort?'

'Als het belangrijk is, hoor ik het wel.'

Dat vond hij interessant.

'Hoe jij weet verschil?'

Dat wist ik niet, maar ik besloot hem nog iets verder om de tuin te leiden.

'Het gaat niet om wát er wordt gezegd, maar hoe de persoon die het zegt zich gedráágt.'

Pure kul, natuurlijk.

Hij trapte er echter met beide voeten in, zei, 'Dat ik vind goed. Mag ik alsjeblieft dat gebruik?'

Jezus.

Ik zei, 'Mijn zegen heb je.'

Weer een harde lachbui. Misschien moet ik maar in Oost-Europa gaan wonen, stand-up comedian worden.

Ik zei, 'Bedankt voor je tijd.'

Hij stak zijn hand uit en ik schudde hem.

Hij zei, 'Jij oké, man, jij mij maakt aan het lachen. Dit land, ik hier niet vaak moet lachen.'

Op het gevaar af als een zenmeester te klinken merkte ik op, 'Je bekijkt het van de verkeerde kant.'

Hij dacht even na, vroeg toen, 'Hoe is dan, hoe is goed bekijken?'

'Alsof het er allemaal niet toe doet.'

Dat kon hij niet helemaal volgen, dus hij opperde, 'Maar het wel er toe doet?'

Ik klom uit het busje, beëindigde het gesprek met, 'Zodra ik daarachter ben, laat ik het je weten.'

Ik moest echt met iemand praten.

Voorheen stoomde ik gewoon altijd door, sloeg ik goede raad in de wind, bedacht ik al doende hoe het nu verder moest. En natuurlijk dronk ik toen nog. Wat moest je met goede raad? Alcohol bezorgde me meer gekke ingevingen dan ik aankon.

Inmiddels nuchter, of droogstaand, of hoe het ook heet, werd het wellicht tijd om hulp in te roepen. Ridge ging niet. We waren in zo'n heftige tweestrijd verwikkeld dat ik niets aan haar zou hebben, en als ze wist dat ik een pistool had gekocht, zou ze me waarschijnlijk oppakken.

Jeff, mijn goede vriend, was nergens te bekennen. Nadat ik de dood van zijn kind had veroorzaakt, was hij van de aardbodem verdwenen. Mijn pogingen hem op te sporen hadden niets opgeleverd.

En dat was het dan. Als je zo oud bent als ik en niemand hebt, helemaal niemand die je in vertrouwen kon nemen, dat is dieptriest en bewees maar weer eens hoeveel mijn manier van leven me eigenlijk had gekost. Ik speelde met het idee Gina te bellen. Ik koesterde absoluut gevoelens voor haar. Ik wist niet meer wat liefde was – als ik dat al ooit had geweten – maar besloot te wachten tot ik klaar was met dat gezin van moordenaars.

Bleef alleen Stewart over, de drugshandelaar. In plaats van dit van onder tot boven te analyseren, belde ik hem gewoon en hij zei, 'Kom maar langs, ik heb net een nieuwe soort kruidenthee gekocht.'

Ik hoopte maar dat die thee een geintje was.

Onderweg ging ik bij een religieus winkeltje naar binnen. Er is er een vlak bij de kerk der augustijnen: talloze relikwieën van de heilige Judas Thaddeüs, gloednieuwe boeken over wijlen de paus. Ik kon niet vinden wat ik zocht, net als U2.

De vrouw achter de toonbank zei, 'Ik ken u.'

De herkenningsmelodie van mijn leven.

En nooit verheffend.

Ze zei, 'Ik kende uw moeder.'

Ik verwachtte de gebruikelijke zedenpreek, clichés, de treurzang over hoe goed ze was, bijna een heilige en nog meer van die flauwekul. Ik knikte, dacht bij mezelf, *schiet nou maar op met de zaligverklaring, dan hebben we dat maar weer gehad.*

Ze zei, 'Een keiharde vrouw, die moeder van u, maar dat hoef ik u vast niet te vertellen.'

Ik vond haar onmiddellijk aardig, vroeg, 'Hebt u een St. Bridgetkruisje voor me?'

Ze glimlachte, een warme, vriendelijke glimlach.

'Lieve hemel, daar is tegenwoordig bijna geen vraag meer naar.'

Maar ze zou in de voorraadkamer kijken.

Tijdens het wachten las ik een gedenkplaat met het Desiderata en ik bedacht dat je daarmee, in combinatie met de Glock, het hoofd kon bieden aan alle tegenslagen in het leven.

De vrouw had één kruisje, blies er wat stof af en zei, 'Er staat geen prijs op.'

Ik gaf haar een biljet van twintig euro en ze zei dat het veel te veel was. Ik vertelde haar dat ze de rest in de armenbus mocht stoppen.

Opnieuw die glimlach.

'O, zo noemen we hen allang niet meer, hoor, tegenwoordig zeggen we *de minder bevoorrechten*.'

Hier had ik niets op te zeggen, dus ik bedankte haar voor de moeite.

Terwijl ik al wegliep, zei ze, 'Moge God over u waken.'

Ik hoopte verdorie maar dat íémand dat deed. Zelf bakte ik er niet veel van.

Toen Stewart de deur opendeed, herkende ik hem niet meteen, maar toen drong het tot me door dat hij zijn hoofd kaal had geschoren.

Ik zei, 'Je gaat wel erg ver met dat zengedoe.'

Hij gebaarde dat ik binnen moest komen.

‘Ik verlies mijn haar toch. Op deze manier hoef ik het niet stukje bij beetje te zien verdwijnen.’

Niets tegen in te brengen.

Hij oogde erg ruig zo en in combinatie met zijn nieuwe ogen van graniet zag hij er totaal anders uit dan het bankierstype dat ik vele jaren terug voor het eerst had ontmoet. Zijn lijf straalde nu uit, *haal geen geintjes met me uit.*

De flat was nog altijd spartaans en ademde een sfeer van leegstand uit.

Hij zei, ‘Ik ga even thee halen.’

Heel fijn.

Ik vroeg me af of ik nog wat van die fantastische pillen zou kunnen scoren.

Hij kwam terug met twee mokken vol goor ruikend spul, zette een ervan voor me neer, vroeg, ‘Wat is er loos, Jack?’

Ik schoof een stukje bij de mok vandaan en probeerde luchtig te klinken. ‘Mag ik niet zomaar even gezellig aanwippen?’

Hij schudde zijn hoofd, nam een slokje van zijn thee. ‘Jij doet niet aan gezellig, Jack, dus wat is er loos?’

Ach, wat zou het ook? Ik vertelde het hem. Alles – het gezin dat als een moordteam bezig was. Deed alles uitvoerig uit de doeken.

Hij luisterde zonder me te onderbreken en toen ik was uitgesproken, nam ik bijna een slok thee. Toen schoot het cadeau me te binnen, en ik haalde het uit mijn zak, zei, ‘Cadeautje voor je nieuwe huis.’

Hij reageerde verbaasd, maakte het open, zei, ‘Een kruis – dacht je soms dat het kruis dat ik meetors al niet zwaar genoeg is?’

Klonk niet echt dankbaar.

‘Het brengt geluk, beschermt je huis.’

Hij legde het weg, zei, ‘Daar is meer voor nodig dan de Heilige Hoe-heet-ze.’

Ik was een beetje beledigd.

‘Het is niet gemakkelijk om aan die kruisen te komen.’

Jezus, nog voordat het eruit was hoorde ik zelf al hoe slap dat klonk.

Hij dronk zijn thee op, zei, ‘Dat geldt ook voor geluk.’

Voordat ik iets kon zeggen, vroeg hij, 'Wat ga je nu doen?'
'Ik zou het niet weten.'
Hij liet dat even tussen ons in hangen, zei toen, 'Het is vrij eenvoudig. Ik heb Thich Nhat Hanh gelezen en die zegt, "Nooit zomaar iets *doen*. Blijf rustig zitten."'
Precies waar ik op zat te wachten, filosofie.
Ik vroeg, 'Wil je nu zeggen dat ik niets moet doen?'
Hij stond op, rekte zich uit in een of andere yoga-achtige beweging.
'Wat ik wil zeggen is: vermoord die zus.'
Ik had gehoopt op een of andere briljante ingeving, een radicaal plan dat alles zou oplossen en waardoor ik, als ik eerlijk was, van het hele gedoe af was. Dan kon ik het achter me laten, naar Amerika vertrekken, weliswaar misschien zonder een zuiver geweten, maar wel met klein beetje gemoedsrust.
Dat zat er dus niet in.
Ik hief mijn handen op in een nutteloos gebaar, waarmee ik wilde zeggen: *is dat alles wat je te bieden hebt?*
Hij stak een hand in zijn zak, haalde een potje pillen tevoorschijn en gooide het naar me toe.
'Deze wil je vast wel hebben.'
Ik wilde tegensputteren, verontwaardigd reageren, ze teruggooien, enige waardigheid tonen, maar ik wilde de pillen nog meer.
'Bedankt.'
Hij haalde zijn schouders op, vroeg, 'Hulp nodig?'
Bedoelde hij: met mijn toenemende verslaving?
Hij zei, 'Je zult erachter moeten zien te komen waar de vijand woont, en laten we wel wezen, dat kan ik beter dan jij, ik heb mijn hele netwerk nog.'
Ridge zou me niet helpen, en in mijn eentje gaan rondbanjeren in de hoop dat ik geluk zou hebben was niet echt verstandig, dus ik zei, 'Ja, dat zou wel prettig zijn.'
Hij glimlachte, deze keer zelfs enigszins vriendelijk.
'Je vindt het niet leuk op anderen te moeten vertrouwen, hè, Jack?'
Er viel weinig voordeel te halen uit leugens, dus ik zei, 'Nee. Nee, dat vind ik inderdaad niet leuk.'

Hij liep naar een rekje, zocht even, haalde er toen een cd uit, bekeek het ding fronsend, merkte op, 'En zodra ik hen heb gevonden, want vinden zal ik hen, wil je dan dat ik met je meega om het te doen?'

Het te doen?

Voordat ik iets onzinnigs kon uitbrengen in de trant van: dit is iets wat ik alleen moet doen, zei hij, 'Mijn zus is vermoord, en jij hebt mij toen geholpen. Zulke... *lui*... die een heel gezin verwoesten – ik heb het gevoel dat ik iets kan afsluiten door hen het hoekje om te helpen.'

Ik moest het vragen, 'Stewart, weet je wel wat je daar zegt?'

Hij had een besluit genomen over de cd.

'Ik weet altijd wat ik zeg – daarom zeg ik zo weinig.'

Diepzinnig.

Ik stond op, wist niet of ik hem de hand moest schudden, het pact verzegelen, maar hij gaf me de cd.

'Deze is voor jou. Je hebt mij een kruis gegeven, hier heb je iets vergelijkbaars terug, hoewel het iets gemakkelijker te dragen valt.'

Het had een zwart omslag, wat heel toepasselijk was. De titel luidde *I've Got My Own Hell To Raise*, van een zekere Bettye LaVette.

Ik wees naar de titel, vroeg, 'Een cryptische boodschap voor mij?'

Hij duwde me zachtjes naar de deur, zei, 'Het is een cd. Niet alles heeft een diepere betekenis.'

Ik gaf hem mijn mobiele nummer en hij zei, 'Je hoort van me, dus zorg dat je gehoorapparaat aanstaat.'

Goed, hoor.

21

'Wanneer je eet, ben jij zelf de maal-tijd.'

Zenuitspraak

Ed O'Brien, de man van de hond – degene die me had ingeschakeld om de gestolen beesten op te sporen – ik vond dat ik verslag aan hem moest uitbrengen. Wat kon ik hem vertellen? Dat ik een drankzuchtige ex-politieman in de arm had genomen die in het kanaal was geëindigd? Dat ik er vrij zeker van was dat een zakenman die King heette de honden inblikte en dat ik een psychopaat ertoe had aangezet diens groothandelsfirma tot de grond toe af te branden?

Leuk verslag.

Ik zou in elk geval zijn volledige aandacht hebben.

Hij had me zijn adres gegeven. Het was ergens aan Newcastle Lower, direct naast de universiteit, en de wandeling ernaartoe is haast rustgevend. Je hoort het geroezemoes van de studenten, hun levendige gelach en de pure energie van het leven. Ik had het bewuste huis zo gevonden, zo'n met klimop begroeid geval waarin alleen maar professoren of mensen uit een ander serieus vakgebied wonen. Een zware ijzeren poort en een korte wandeling naar de voordeur. Grote, verwaarloosde tuin. Als je rijk bent, kun je dingen rustig verwaarlozen, dat verhoogt de charme alleen maar. Een bordje op de deur waarschuwde:

AAN DE DEUR WORDT NIET GEKOCHT

Het enige wat ik in de aanbieding had, waren ellende en ruzie. Ik belde aan, wachtte even, en na een tijdje deed O'Brien zelf open, uitgedost in zo'n dikke Aran-trui die naar mijn idee alleen door Amerikanen werd gekocht, een bruine ribbroek die zo uitgezakt was dat het bijna belachelijk oogde. In zijn hand had hij een dik boek.

Hij staarde me aan, zei, 'Kun je niet lezen?'

Ik besefte dat het alweer enige tijd geleden was dat hij mijn hulp had ingeroepen, maar zo lang nu ook weer niet.

Ik zei, 'Ik ben Jack Taylor.'

Het kwartje viel en hij staarde me even zwijgend aan, alsof hij overwoog me weg te sturen, zei toen, 'Dan kun je maar beter even binnenkomen, denk ik.'

Denk ik?

Ik voelde aan mijn water dat dit een ontzettend fijn gesprek zou worden.

We liepen naar een met boeken omzoomde werkkamer waarin comfortabel, versleten meubilair stond en een bureau van walnotenhout met een hele berg paperassen en dossiers erop. Hij nam zelf achter het bureau plaats, gebaarde naar een harde stoel tegenover hem. Ik ging zitten, had het gevoel dat ik elk moment kon worden verhoord.

Ik wist niet goed waar ik moest beginnen, maar hij zei, 'Om eerlijk te zijn, dachten we eigenlijk dat je nooit iets had ondernomen, Taylor.'

Een bedrijf dat in de as was gelegd, een dode man die uit het kanaal was gevist – stel je eens voor wat er was gebeurd als ik wél iets had ondernomen.

Ik zei, 'Ik vond dat het alleen zin had bij u langs te gaan als ik iets te melden had.'

Op zijn gezicht was een grondige scepsis te lezen en ik voelde een groeiend verlangen die grijns van zijn smoel te vegen.

Hij schudde zijn hoofd, alsof hij alle mogelijke soorten bedriegers al eens voorbij had zien komen en ik slechts de volgende was in een lange treurige rij. Hij bevestigde dit door op te merken, 'Ik neem aan dat je bent gekomen om je geld te halen.'

Dat was niet eens bij me opgekomen, maar voordat ik dit duidelijk kon maken, zei hij, 'Je dacht zeker dat je, nu de zaak is opgelost, gewoon even... ja, wat eigenlijk? Binnen kon komen wandelen om een vergoeding te eisen? Ik ben niet van gisteren, Taylor.'

Opgelost?

Ik herhaalde, 'Opgelost? Waar hebt u het over?'

Hij spotte, 'De zaak is opgelost en superspeurder Taylor weet het niet eens. Als ik jou was, zou ik maar een nieuwe baan overwegen, want je bent niet echt geschikt voor dit vak.'

Na een blik op mijn niet-begrijpende gezicht besefte hij dat ik het echt niet wist, en hij zei overdreven geduldig, 'Een bende tieners heeft de honden ontvoerd, ze meegenomen naar dat braakliggende terrein naast het ziekenhuis en ze met benzine overgoten om te zien hoe ver ze konden rennen voordat ze – hoe zullen we dat eens zeggen – opgebrand waren?'

'Jezus.'

Hij wreef zijn handen over elkaar alsof hij ze met lucht waste en zei, 'Ik betwijfel of de Heer er iets mee van doen heeft gehad, behalve dan misschien Zijn almachtige toorn.'

In de laatste woorden klonk iets fundamentalistisch door dat net zo verkillend was als het klinkt.

'Het heeft niet in de kranten gestaan – ik heb niets gehoord op het journaal.'

Nu glimlachte hij, en ik ontdekte een maniakaal trekje in het kleine stroompje speeksel op zijn onderlip, de opgewonden gloed in zijn ogen.

'Het erkende gezag heeft het te druk om zich om zoiets alledaags als vermiste honden te bekommeren. Tja, je vond het zelf niet eens de moeite waard om zelfs maar een halfslachtige poging te wagen het uit te zoeken. De wereld gaat naar de verdommenis, Taylor. Als je een tijdje nuchter was geweest, was dat jou misschien ook wel opgevallen.'

Ik balde mijn handen tot vuisten, moest me inhouden om niet over het bureau te duiken.

Hij vervolgde, 'Onze buurtwacht is zelf in actie gekomen, en ik kan je dit vertellen: de bewuste tieners zullen de komende tijd echt geen honden – of wat dan ook – meer stelen. Moet ik nog duidelijker zijn?'

Hij straalde bijna van zelfingenomenheid.

Ik zei, 'Eigengerechtige beulen, dat zijn jullie.'

Hij stond op. Het gesprek zat erop.

'Ach, Taylor, de stad heeft behoefte aan mensen als wij, burgers die voor zichzelf opkomen.'

Afgezien van hem tot moes slaan was er geen enkele manier om

zijn zelfvoldaanheid te doorboren. Ik zei, 'De Klan gebruikt eenzelfde soort retoriek. Hebben jullie al lakens om?'
Hij keek me vol verachting aan.

'Goedenavond, Taylor, en ik zal je een goede raad geven, je bent in deze wijk niet meer welkom, we streven naar fatsoen en respectabiliteit.'

Die hufter bedreigde me. Ik vroeg, 'En anders? Komen jullie dan weer voor jezelf op?'
Hij deed de voordeur open, zei, 'Beschouw het maar als een goedbedoelde waarschuwing.'

'Ik ga en sta waar ik wil, verdomme, en als jullie daar iets tegen willen doen, neem dan maar een laken mee, mannetje.'

Ik liep in de richting van het kanaal, met een smerige smaak in mijn mond en een intense spijt dat ik zelfs niet één keer naar hem had uitgehaald. Mijn gedachten tolden door mijn hoofd. Kings bedrijf was voor niets met de grond gelijkgemaakt, en Eoin Heaton voor niets in het kanaal verdronken. Waarom?

Een vrouw met een collectebus, die vlaggetjes verkocht voor daklozen, kwam naar me toe.

'Hebt u iets over voor de armen?'

Ik zocht een bankbiljet, propte een twintigje in de bus, zei, 'Verkeerde woordkeuze.'

Ze staarde me aan. 'Pardon?'

'De armen. Ik heb uit betrouwbare bron vernomen dat ze tegenwoordig minder bevoorrechten heten.'

Ze liep snel weg, maar wel mét het twintigje.

Ik keerde terug naar Eoin Heatons vaste stekkies, in een poging te achterhalen wat hem goddomme was overkomen. Een ronde langs groezelige pubs, sneue bookmakerkantoortjes, leverde uiteindelijk, nou ja, misschien niet echt iets nuttigs op, maar in elk geval een soort aanwijzing op het kantoor van sociale voorzieningen – een man daar vertelde me dat Heaton bij zijn moeder had ingewoond en als iemand hem kende, was zij het wel.

Ze woonde in Bohermore, in een van de laatste oorspronkelijke huizen die nog niet tot herenhuis waren omgebouwd. Het originele ontwerp, één kamer boven, een beneden, in een rijtje. Er was een kleine tuin bij die keurig was onderhouden en de voorgevel was pas geverfd.

Ik klopte op de deur en er werd opengedaan door een klein vrouwtje, krom van ouderdom en armoe. Haar kleren waren kraakhelder, zo schoon als alles wat uit de Magdalen Laundry kwam. De gedachte aan die plek deed me huiveren.

'Mevrouw Heaton, het spijt me dat ik u lastigval, ik was een vriend van Eoin.'

Ze hief met zichtbare inspanning haar hoofd op, keek me aan, zei, 'Kom binnen, amac.'

Jee, dat Ierse woord voor zoon had ik in geen twintig jaar gehoord. Ze ging me voor naar een kleine woonkamer, eveneens net zo schoon als het geweten na de biecht. Aan de muur hingen drie ingelijste foto's: de paus, het Heilig Hart en Eoin in zijn Guard-uniform. Hij zag er ongelooflijk jong uit, met een fris geboend gezicht en een gretigheid die me pijn deed.

Mevrouw Heaton vroeg, 'Lust je misschien een kopje thee, loveen?'

Allejezus.

Loveen.

Er was ooit een tijd dat dit kooswoord net zo vaak voorkwam als roofovervallen. Tegenwoordig hoorde je het nergens meer. Het sprak van een vanzelfsprekende warmte en een intimiteit die geruststellend was zonder opdringerig te zijn. Eén krankzinnig ogenblik lang was ik bang dat ik zou gaan huilen. Ik zei dat een kop thee heel fijn zou zijn. Een oeroud ritueel dat ook al aan het uitsterven was. Wanneer je tegenwoordig bij iemand thuis kwam, kreeg je een hippe koffiesoort aangeboden, maar dan zonder die gemoedelijkheid, hooguit een aandeel naast de luxe koffie op het dienblad. Je slaat het aanbod van thee van zo'n dame nooit af, dat zou hetzelfde zijn als haar in het gezicht spugen. En hoe oud of teer ze ook is, je biedt nooit – maar dan ook echt nooit – aan haar te helpen.

Op de schoorsteenmantel – die bedekt was met Iers kant, met de hand geborduurd – stonden trofeeën, hurling en Gaelic voetbal, en

een flesje gewijd water uit Lourdes. Ik pakte een van Stewarts pillen en nam deze in. Ik was erger van slag dan ik wilde toegeven.
Vijf minuten later kwam ze terug met een dienblad. Een pot thee, haar beste servies en een stuk fruitcake.

Ze hief haar hoofd op, vroeg, 'Een drupje erin?'

Whisky.

Alleen als ik nooit meer weg hoefde en de hele fles kon leegdrinken.

'Nee, thee is heerlijk.'

Terugvallend op de oude manier van praten, alsof ik nooit was weggeweest.

Ze zei, 'We zullen de thee even laten trekken.'

Ze liet zich voorzichtig in een leunstoel zakken en roerde met een lepel in de pot. Om haar nek hing aan een blauw koordje een Wonderdadige Medaille.

Ze zei, 'Is het niet akelig koud?'

Nee, hoor.

Ik zei, 'Bitterkoud.'

Thee en het weer, Ierser kan het niet.

Ik zei, 'Ik vind het echt vreselijk van Eoin.'

Fuck, ik wilde een overtuigende leugen over hem bedenken, maar ze was zijn moeder, ze zou immers álles geloven.

Ik probeerde het toch, 'Hij was een goede vent.'

Briljant, klojo, echt heel geïnspireerd.

Ze begon te snikken. Niet heel hard – erger, van dat stille gesnik waarvan het hele lichaam schokt. Er rolde een traan over haar gezicht, tegen het porseleinen kopje, er klonk een zachte ploink, en ik wist, in elke vezel van mijn lijf, dat dit geluid zich zou voegen bij alle andere nachtmerrieachtige melodieën van het spookorkest dat me elke nacht in mijn slaap kwelde.

Ze depte haar ogen met een papieren zakdoekje, zei, 'Het spijt me, meneer Taylor, het is...'

Ik onderbrak haar snel, 'Alstublieft, mevrouw Heaton, zegt u toch Jack.'

Dat zou ze niet doen, maar ik won er wat tijd mee. Ik vroeg, 'Is er iets wat ik voor u kan doen? Kan halen?'

Ze schudde haar hoofd. 'Eoin had... problemen, en drank, een vreselijke vloek, hij kon het niet laten staan.'

Ik probeerde een manier te verzinnen om over iets anders te beginnen, maar toen zei ze, 'Ik had nooit gedacht dat hij Blackie zou meenemen.'

Ik herhaalde, alsof ik achterlijk was, 'Blackie?'

Ze ging verder, bijna alsof ze in zichzelf praatte, 'Hij was natuurlijk dol op die hond en ik had kunnen weten dat hij nooit zonder hem zou weggaan.'

Hoewel ik mijn hoofd voelde tollen, dansen en wankelen, probeerde ik haar woorden in perspectief te plaatsen.

'Blackie was zijn hond?'

De gewiekste speurneus, ziet niets over het hoofd, heeft alle gegevens in zijn kop zitten.

Ze glimlachte, haar hele gezicht lichtte ervan op, ze leek meteen dertig jaar jonger.

'Hij had echt alles over voor dat beest, en toen hij... toen hij... in de rivier sprong, was het eigenlijk geen verrassing dat hij Blackie meenam.'

Ze tastte in haar schortzak, haalde een netjes opgevouwen vel papier tevoorschijn, gaf dit aan mij.

'Hij heeft dit voor me achtergelaten.'

Met mijn hart in mijn keel nam ik het aan, en ik vouwde het open, las:

Lieve mammie,
Het spijt me heel erg, maar ik kan niet meer en bid voor me, alsjeblieft, ik neem Blackie mee als gezelschap, in de la met mijn sokken ligt honderd euro. Ik hou van je, mam.
XXXXXXX Eoin

Ik gaf haar het briefje terug, niet in staat ook maar iets te zeggen.

Ze zei, 'Hij heeft Blackie met zijn riem aan zich vastgebonden. Het was die ene van de Guards, daar was hij zo trots op. Toen ze zijn uniform terugvroegen, heeft hij die riem gehouden. Denk je dat ze hem nu terug willen hebben?'

'Nee... Nee, vast niet.'

Ik stond op, beloofde dat ik af en toe zou langskomen om te kijken hoe het met haar ging.

Ze zei, 'Je hebt je cake niet opgegeten. Wacht.' Ze liep naar een alkoof, wikkelde het in een stuk papier, zei, 'Dat is lekker voor na je avondeten. Een man in de groei als jij moet veel eten voor energie.'

Ze stak haar armen uit en omhelsde me.

Eenmaal buiten liep ik als verdoofd door de straat, de plak cake in mijn hand als het ergste soort verwijt dat je kunt bedenken.

De pub lonkte sterker dan hij in lange tijd had gedaan, maar het gekke was, ik vond dat het een harde klap zou zijn in het gezicht van mevrouw Heaton als ik haar verdriet zou gebruiken om mijn eigen wanhoop te voeden. Ik was schuldig aan een heleboel dingen, maar haar aan die lijst toevoegen, dat kon ik niet.

Ik nam nog een van Stewarts pillen.

22

'Op dorst'ge zonde – en hij die drinkt moet sterven.'

Shakespeare

Gail was net van plan uit de nachtclub te vertrekken toen de man haar aansprak.

Hij zei, 'Buffy the Vampire Slayer?'

Ze had alle versiertrucs al een keer gehoord, maar deze overviel haar. De man was ouder dan de meeste andere clubbezoekers, maar ze kon zien dat hij goed in zijn vel zat, een strak, pezig lijf. Maar zijn ogen – zijn ogen vormden de grootste verleiding. Hard, kil, precies zoals de hare, wist ze. Hij had een spijkerbroek aan, en een wit overhemd dat bij de hals openstond, zijn lijf op zijn voordeligst liet zien.

Ze zei, 'Probeer je me te versieren of hoe zit het?'

Hij schokschouderde. 'Ik zit daar lekker tequila te drinken. Zin om erbij te komen zitten?'

Ze was gek op tequila, je had in een mum van tijd het gewenste effect. Hij wachtte haar antwoord niet af, liep gewoon verder en ging weer zitten. Dat was waanzinnig aantrekkelijk. Meestal zanikten kerels aan haar hoofd dat ze bij hen moest komen zitten. Deze vent gedroeg zich alsof het hem geen zak kon schelen.

Ze ging naar hem toe en nam tegenover hem plaats. Er stond een rij glazen klaar op de tafel. Ze vroeg met een blik op de dansende mensen om hen heen, 'Ben je niet bang dat iemand je drankjes jat?'

Hij glimlachte even.

'Niemand jat mijn drank.'

Zelfverzekerd.

Ze hief haar glas, zei, 'Proost.' Goot de inhoud in haar keel en voelde bijna onmiddellijk de kick.

Hij staarde haar slechts met vage belangstelling aan. Zei, 'Neem er nog een.'

Dat deed ze.

Wachtend op een nieuwe kick vroeg ze, 'Drink jij niet?'

Hij strekte en spande zijn armen – ze kon de spieren zien.

'Ik trip op iets anders.'

Gail was stomverbaasd. Voor het eerst in – hoe lang? – was ze in een ander geïnteresseerd. Deze gozer was totaal ongrijpbaar.

'Drugs, bedoel je?' vroeg ze.

Hij schoof een glas naar haar toe.

'Onder andere.'

Ze zag in een hoek van de club vlammen oplaaien, vroeg impulsief, 'Zie jij… vlammen?'

Hij zei veelbetekenend, met een lauwe glimlach, 'Ik steek ze aan, dat is onderdeel van de trip.'

Ze kon haar nieuwsgierigheid niet onderdrukken.

'En de rest van de trip – wat houdt die in?'

Hij boog zich naar haar toe, zei, 'Ik dood mensen.'

Het was heel lang geleden dat ze een man, een menselijk wezen, aantrekkelijk had gevonden, maar hij had de gratie, de lenigheid als van een panter, en die duistere uitstraling die ze zo goed kende.

Hij dronk een glas leeg, stond op, zei, 'Tijd voor mijn wandeling langs de oceaan.'

Vroeg niet of ze mee wilde, maar ze liep gewoon achter hem aan.

Buiten voor de nachtclub hield hij een taxi aan en hij keek haar aan.

'Ben je niet bang voor wat ik je zou kunnen aandoen?'

De tequila viel mooi samen met haar psychose en ze zei, 'Dan moet je wel verrekte goed zijn.'

Hij hield het portier van de taxi voor haar open, zei, 'Dat dacht ik ook.'

Hij vroeg de taxichauffeur hen naar Salthill te brengen en leunde achterover, staarde strak voor zich uit. Dat vond ze prachtig, geen behoefte om over koetjes en kalfjes te zwetsen. Ze voelde een zalige huivering van spanning door haar lichaam schieten toen ze langs de plek van de verbrande auto reden. Hij was nu weg, maar ze kon de sfeer nog steeds proeven.

Ze zei, 'Dat is de plek waar dat meisje is omgekomen bij een brand.'

Hij keek niet eens, zei, 'O ja?'

Alsof het hem geen fuck kon schelen.

Hij gaf de bestuurder een fooi uit een portemonnee bomvol geld en ze nam zich voor die later mee te nemen, nadat ze met hem had afgerekend. Toen de taxi wegreed, zei hij, 'Als je geld wilt hebben, vraag het dan gewoon, probeer het niet zelf te pakken.'

Toen liep hij naar de waterkant.

Ze giechelde, weet het aan de tequila, zei bij zichzelf, 'Ik ben verliefd.'

Ze zaten een paar uur te kletsen. Hij vertelde haar dat de zee alles wegspoelde en zweeg toen. Ze kon haast niet geloven dat hij niet eens probeerde haar te verleiden.

Ze zei, 'In je portemonnee zag ik een meisje. Je vrouw?'

Hij schudde zijn hoofd, stond op, zei, 'Kom, dan breng ik je naar huis.'

Hij pakte haar hand. Zijn aanraking voelde aan als een schok. Ze stond van zichzelf te kijken, omdat ze hem op haar liet jagen in plaats van andersom.

Hij hield weer een taxi aan, liet de chauffeur haar thuis afzetten, en toen ze uit de taxi stapte, zei hij, 'Als je me wilt terugzien, ik ben vrijdagavond rond elven op het strand. Ik breng drank mee en nog wat ander spul.'

Ze stond op het voetpad, wilde hem eigenlijk mee naar binnen vragen.

Ze vroeg, 'Hoe heet je?'

Hij keek haar geamuseerd aan, zei, 'Klem je niet vast aan labels. Zoek de kern... wat eronder zit.'

23

'Mensen die uiterlijke zaken belangrijk vinden, zijn vanbinnen dom.'

Chuang Tzu

Het was vroeg in de ochtend. De postbode was geweest en had een officieel uitziende brief bezorgd. Ik had sterke koffie gezet en brood geroosterd, maar had geen trek, scheurde de brief open. Hij was van de makelaar.

Ik las hem verbijsterd door, terwijl ik op een stuk hard geroosterd brood beet, zonder iets te proeven. Er was drie keer een bod gedaan op de flat. De bedragen waren echt belachelijk. Ik kon niet eens geloven dat dergelijke hoeveelheden geld beschikbaar waren. Galway had de reputatie het duurste gebied van het land te zijn en de huizenprijzen waren compleet krankjorum. Als ik het hoogste bod accepteerde, was ik rijk... en dakloos. Dat laatste kwam me bekend voor, maar het eerste – hoe zou dat aanvoelen?

Er werd op de deur geklopt en ik legde de brief weg, vermoedde dat het Ridge was.

Het was Stewart, uitermate beschaafd gekleed: keurige jas, zijden sjaal losjes om de kraag geknoopt, modieuze donkere broek. Zijn schoenen waren oogverblindend glanzend gepoetst.

Ik vroeg, 'Hoe weet je waar ik woon?'

In zijn ogen gloeide een duistere kracht.

'Doe niet zo dom, Jack.'

Ik deed een stap opzij en liet hem binnenkomen. Hij onderwierp de flat aan een onderzoekende blik, las toen het briefhoofd van de makelaar.

'Ga je de tent verkopen?'

Ik deed de deur dicht, zei, 'Nou ja, ik laat me eerder uitkopen.'

Hij ging op een harde stoel zitten en ik vroeg of hij iets wilde drinken, meldde erbij dat ik helaas geen kruidenthee had.

Hij sloeg het aanbod af, keek me recht aan, zei, 'Ik heb haar gevonden.'

‘Gail?’

‘We zijn stapmaatjes.’

Fuck, dat moest een geintje zijn, hoewel gevoel voor humor een van de eigenschappen was die hij in de gevangenis had achtergelaten.

Ik vroeg, ‘Da’s een geintje zeker?’

Hij keek me bevreemd aan, alsof hij nog steeds niet doorhad wanneer ik iets serieus meende.

‘Heb jij in ons bizarre, kleurrijke verleden ooit eerder meegemaakt dat ik een geintje maakte, Jack?’

Er klonk een zekere ergernis door in zijn woorden en ik vroeg me wederom af wat hij had moeten afstoten, uit zijn leven bannen, om in de gevangenis te overleven. Wat het ook was, het kwam vast en zeker niet terug.

Ik schudde mijn hoofd, zei, ‘Vertel op.’

Hij glimlachte vaag. Dit was de Jack Taylor bij wie hij zich het meest op zijn gemak voelde.

‘Er zit nog steeds een Guard in je. Ik heb je verteld dat ik nog steeds contactpersonen heb en dat betekent dat ik weet waar iedereen uit het wereldje uithangt. Volg je me nog?’

Fuck, man, hoe moeilijk was het?

Ik zei, ‘Jeetje, ik denk wel dat ik het snap, ja.’

Hij ging er niet op in.

‘Ik ben dus de nachtclubs af gegaan, was net of ik terugging naar mijn jeugd, en in de derde tent vond ik haar. Ik moet er wel bij zeggen, Jack, dat je haar geen recht hebt gedaan.’

Ik wist niet waar hij naartoe wilde, maar het zon me totaal niet. Ik snauwde, ‘Hoezo?’

Hij slaakte een diepe zucht.

‘Mijn zus, die is vermoord – en ik zal nooit vergeten dat je haar gerechtigheid hebt geschonken – was de beste persoon die ik ooit heb gekend, een en al goedheid. Ik denk dat Gail misschien ooit een beetje op haar heeft geleken, maar na de dood van haar moeder, na de zelfmoordpoging, is ze gestorven.’

Mijn gezicht stond ongetwijfeld cynisch.

Hij ging verder, ‘Goed, ze keerde weliswaar terug, maar waar ze in de tussenliggende tijd ook is geweest, het was iemand anders die terugkeerde, een kwaadaardig wezen. In de gevangenis ben ik in aanraking gekomen met de allerergste mannen op aarde – echt tuig, in- en inslecht, psychopaten, sociopaten, noem maar op, elk denkbaar soort gevaarlijk beest – maar die vallen echt volledig in het niet bij de sterke duisternis in dit meisje.'

Ik geloofde er geen barst van, zei, 'Het is maar een meisje, en bovendien een akelige, wrede moordenaar. Ga nu niet net doen alsof ze een of ander superwezen is.'

Nu brak zijn glimlach weliswaar helemaal door, maar warm was hij nog steeds niet. Hij zei, 'Mooi, dan denken we er dus hetzelfde over, mijn vriend. Ik moest weten of je het begreep.'

Wat had dit verdomme te betekenen?

Ik staarde hem aan en hij zei, 'De gevangenis kan haar niet tegenhouden. Je zult haar moeten opruimen.'

Ik ijsbeerde, zei, 'Zeg nou gewoon waar het op staat: vermoorden.'

Hij stond op.

'Dit is het adres van het huis dat ze hebben gehuurd. Op vrijdagavond komt ze naar me toe. Als jij nou met de vader en zoon gaat praten, dan zorg ik dat het meisje... *uit de weg* blijft.'

Ik begreep niet goed wat hij bedoelde, dus ik vroeg, 'Wat moet ik dan verdomme doen?'

Hij liet zijn schouders hangen, een klassieke gebaar van overgave.

'Jack, dit is jouw pakkie-an, ik doe puur en alleen voor de lol mee.'

Tering.

Ik zei, 'Zo werkt dat niet... nooit.'

Hij bleef verrast bij de deur staan.

'Heb jij je in zen verdiept?'

Een zeldzame klank in zijn stem: verrukking.

Ik liet hem even genieten, zei toen, 'Fuck, nee, man, dat is Paul Newman in *Cool Hand Luke*.'

24

'De dood is een manier van de natuur om tegen ons te zeggen dat we het rustiger aan moeten doen.'

Iers gezegde

Het adres dat Stewart me had gegeven was in Father Griffin Road en het leek me verstandig er een kijkje te nemen. Mijn manke poot speelde op, en een wandeling zou me goed doen. Ik liep door Shop Street, en de straatventers en levende beelden waren en masse naar buiten gekomen. Een van de levende beelden, hoog op een kist, beschilderd met rode verf, hoorns op zijn hoofd, een staart en iets wat op een hooivork leek, hoewel een beetje verbogen – maar misschien was dat juist de bedoeling – moest de duivel voorstellen. Een klein jongetje stond gebiologeerd naar hem te turen, ik bleef staan en de duivel sprak me met een Galways accent aan.

'Hand schudden met de duivel?'

Kwam even in de verleiding te antwoorden dat ik dat al vaker had gedaan dan hij zou durven geloven. Stopte een paar euro in zijn kist en hij grijnsde naar me. Zijn tanden waren zwart, volgens mij hoorde dat niet bij zijn vermomming.

Ik zag een bekende gedaante op me af komen lopen – Caz, een Roemeen die al bijna zes jaar in de stad verbleef en er helemaal thuis was. Hij beheerste het Iers-Engels verbazingwekkend goed, vroeg me meestal om geld, en wist op een of andere manier altijd de indruk te wekken dat hij, door het geld aan te nemen, mij een gunst deed. Zoals ik al zei, een snelle leerling.

Hij begroette me met, 'Jack, ouwe makker van me.'

Typisch Roemeens toch?

Hij had een nieuw suède jack aan, een merkspijkerbroek, opzichtige cowboylaarzen. Toen ik hem de vorige keer sprak, stond hij op het punt te worden uitgezet. Blijkbaar zag het er nu veel rooskleuriger voor hem uit.

'Caz, hoe gaat het met jou?'

Hij staarde me aan, vroeg, 'Wat moet je met dat gehoorapparaat?'

Wat zeg je daarop?

Ik zei, 'Ouderdom.'

Hij knikte, daar viel niets tegen in te brengen.

Fuck.

Hij gluurde om zich heen alsof hij iets belangrijks te vertellen had, toen, 'Ik zit een tikkie krap bij kas.'

Het gebruikelijke verzoek.

Ik stopte wat biljetten in zijn hand en hij borg ze snel weg.

Hij zei, 'Ik hoor rare dingen over je.'

Wilde ik weten wat?

Ik nam het risico, vroeg, 'Wat dan?'

'Dat je niet meer drinkt, dat je in geen tijden een borrel hebt aangeraakt.'

In Ierland is dat te gek voor woorden.

Ik zei, 'Klopt, al een hele tijd niet meer.'

Alcoholisten zien andere drinkers niet graag stoppen. Dit houdt namelijk impliciet in dat zij de volgende zouden kunnen zijn.

Vooral niet aan denken.

Hij vroeg, 'Hoe bevalt dat je?'

Fuck, man, geweldig, absoluut fantastisch gewoon.

'Gaat wel, het went.'

Shit, echt niet.

Hij wreef over zijn hoofd, hield vol, 'Wat doe je dan, je weet wel, met al die vrije tijd?'

Ik had geen flauw idee.

Zei, 'Ik lees veel.'

Hij maakte aanstalten om weg te lopen, zei nog, 'Arme donder.'

Amen.

Ik maakte een minirondreis door mijn stad. Amerika kwam steeds dichterbij en misschien was dit wel mijn laatste kans om door deze straten te lopen. Ik wandelde in de richting van St. Joseph, Presentation Road. Ik herinner me dat mijn vader me eens vertelde dat paramilitairen en het Britse leger buiten voor de kerk opgesteld hadden gestaan nadat ze als vergeldingsmaatregel pastoor Griffin hadden doodgeschoten. De moord op priesters maakte geen deel uit van onze geschiedenis. Het verschil met tegenwoordig was dat we daar geen vijandelijke bezettingslegers meer voor nodig hadden. Nu waren we zelf de moordenaars.

De begrafenisstoet van pastoor Griffin vertrok in 1920 vanuit Mill Street en stak O'Briens brug over, en er waren nog altijd oude mensen die zwoeren dat er, toen de lijkkoets het midden van de brug bereikte, drie zalmen uit het water opsprongen, heel even in de lucht bleven hangen en toen bevallig weer teruggleden. Tegenwoordig zie je geen zalmen meer springen, door het gif in het water zijn ze lusteloos, net als de bewoners eigenlijk. Toen mijn vader me dit met vochtige ogen vertelde, zei hij dat de koetsier, een man met zeldzame moed en energie, tegen de geldende verordeningen in een hoge hoed op had en een sjerp droeg. Af en toe kom ik die man nog weleens tegen, een voorvechter van zijn eigen overtuigde geloof. De week erop werd hij doodgeschoten.

Vraag vandaag de dag aan jongeren wie pastoor Griffin was en ze kijken je aan met een blik die zegt, 'Jee, man, ik ken helemaal geen priesters.'

Ik had het huis in Father Griffin Road zo gevonden. Het is een smal straatje en behoorde vroeger tot het echte oude Galway. Nu niet meer, maar ja, wat wel?

Te Koop-borden domineerden het straatbeeld. Ik moest het voorzichtig aanpakken. Als iemand van het gezin me in de smiezen kreeg, was ik de lul. Het huis stond ongeveer halverwege, en was stil, er bewoog niets.

Ik schrok me het apelazarus toen iemand me aansprak en vroeg, 'Zoek je iemand?'

Ik draaide me om en zag een man van in de zeventig staan, met een aangelijnde hond – ik had hem bijna gewaarschuwd vooral uit de buurt van Newcastle te blijven. De blik in zijn ogen was intelligent en oplettend, en hij sprak met een plaatselijk accent.

Ik zei, 'Ik overweeg hier een huis te kopen.'

Hij wierp een blik op het huis, zei, 'Dat daar is verhuurd aan een

Engels gezin, maar verderop staan er een paar te koop. Dat gaat je wel een bom duiten kosten.'

'Wat zijn die Engelsen voor lui?'

Aan zijn gezicht was af te lezen dat dit een heel domme vraag was.

'Ze zijn beleefd... maar vriendelijk? Het zijn Engelsen, die weten niet wat dat is.'

En dat was alles wat hij over het onderwerp te zeggen had. Ik bedankte hem, liep weg.

Hij voegde er nog aan toe, 'Vroeger was dit best een mooie straat. Maar ja, dat waren de meeste toen, hè?'

Toen ik weer thuis was, stond de man die de lijkkoets van pastoor Griffin had bestuurd me nog altijd helder voor de geest en ik durf te zweren dat ik hem zag staan toen ik een paar schoten loste met de ongeladen Glock, waarbij ik mezelf inbeeldde dat ik op Gail mikte. Stewart had gelijk – de gevangenis was geen oplossing voor haar. Dit dan wel?

Mijn telefoon ging over. Gina, de arts, die informeerde hoe het met mijn handen ging. Ik zei dat ze mooi genazen, toen viel er een stilte. Ik neem aan dat dát een goed moment was geweest om haar te vragen of ze misschien zin had samen iets te gaan eten of uit te gaan. Dat wilde ik ook wel, maar het lukte me gewoon niet. Ik zei dat ik haar binnenkort zou bellen. Dat ik eerst een paar dingen moest doen. Inderdaad, onder andere een jonge vrouw vermoorden. Ik hoorde aan haar stem dat ze me niet geloofde. Ik bedankte haar voor haar bezorgdheid, maar klonk als een ondankbare hond.

Ik keek op mijn horloge. Stewart zou Gail zo meteen ontmoeten en het werd tijd om bij Mitch en Sean langs te gaan. Ik trok mijn Gardajas voor alle weertypen aan, laadde het pistool en stopte het in mijn rechterzak, en hoopte van harte dat ik het niet tegen Sean hoefde te gebruiken. Niet omdat ik de knul zo graag mocht, maar omdat hij gewoon werd meegesleurd in gebeurtenissen waarop hij geen grip had.

Het was al donker toen ik Father Griffin Road bereikte, en het huis baadde in het schijnsel van lampen. Even overwoog ik om aan de achterkant in te breken, maar toen dacht ik, *ach verdomme, ik ga gewoon de confrontatie met hen aan.*

Ik belde aan, stopte mijn rechterhand in de zak van mijn jas en klemde mijn vingers om de Glock. Er verstreken drie minuten voordat de deur werd opengedaan.

Sean stond voor me, zijn gezicht grauwbleek, zijn ogen wijd opengesperd. Hij stamelde, 'Mijn vader, er is iets mis met hem.'

Ik dacht bij mezelf dat er met het hele stel iets goed mis was, maar ging toch naar binnen, vroeg, 'Wat bedoel je precies?'

Sean was enorm over zijn toeren.

'Gail en hij hebben slaande ruzie gehad. Ons geld raakt op en zij beweerde dat ze een nieuwe bron had gevonden. Pa begon te sputteren dat het misschien tijd werd om ermee te kappen en ze ging helemaal over de rooie, schreeuwde dat hij een lafaard was en rende weg.'

Ik keek om me heen om te zien waar Mitch uithing. Ik wilde niet dat hij me ongezien naderde.

Sean hapte een paar keer naar lucht en ging verder, 'Pa greep naar zijn borst, strompelde naar boven, en ik durf niet achter hem aan te gaan.'

'Hoe lang is dit geleden?'

Sean probeerde na te denken, maar vond het duidelijk moeilijk zich te concentreren. 'Drie uur? Langer misschien?'

Ik luisterde: niets te horen.

Ik zei, 'Wacht hier, dan ga ik naar boven.'

'Het is de grote slaapkamer aan de rechterkant.'

Ik beklom langzaam de trap, ging in gedachten na of ik het pistool in de aanslag moest houden, maar besloot het risico te nemen en het niet te doen. Ik ging de slaapkamer binnen.

Die was behangen met veloutébehang, dat vreselijke spul waarmee de huizen van de armen veel te lang bekleed waren geweest, en aan de muur hingen drie vliegende eenden – de middelste zonder kop. Het bed was een eenpersoons en dat vond ik zo triest, waarom weet ik niet, wat maakte dat goddomme nou uit? Toch was het zo. Eenpersoonsbedden voor volwassenen zijn het symbool van mislukking. De lakens waren vuil en ik vermoedde dat die nu ook niet meer zouden worden gewassen. De was, stond ik me nu druk te maken om de was?

Ik dacht aan de dingen die deze man, deze vader, op zijn geweten had, de gestoorde kinderen die hij had grootgebracht, gecreëerd, en de daden die hij niet alleen had toegestaan, maar waaraan hij ook zelf had meegedaan. Ik was ervan overtuigd dat hij plannen had bedacht die zo verachtelijk en walgelijk waren, dat het vrijwel onmogelijk was je voor te stellen wat hij dacht wanneer hij 's avonds zijn hoofd op zijn kussen vlijde. Dacht hij dan aan Nora, zijn geliefde vrouw? Hoezeer zijn verdriet hem ook in zijn greep had gehad, hij moest toch hebben geweten dat ze vol afschuw zou hebben gereageerd op wat hij in haar naam had gedaan, en, erger nog, haar aanbeden kinderen had laten uitvoeren.

Ik fluisterde, 'Ellendige rotschoft, je hebt de toorn van de hel losgelaten. Dacht je soms dat je die onder de duim kon houden? Nou, makker, ik hoop dat het lekker heet is waar je nu vast en zeker zit. En zal ik je eens wat zeggen? Als er een leven na dit leven is, dan hoop ik dat je Nora nooit meer te zien krijgt. Rust maar lekker zacht in de vlammen, klootzak.'

Sean riep naar boven, 'Pa, is alles goed?'

Ik ging naar beneden, en Sean staarde me met een angstige blik in zijn ogen aan.

Ik zei, 'Bel een ambulance.'

Hij bleef roerloos staan.

'Komt het goed met hem?'

'Nee, hij is dood.'

Stevige hartaanval. Hij had met gespreide armen en benen op het bed gelegen, zijn mond geopend in een geluidloze schreeuw. Sean begon te janken. Ik liep naar de telefoon, belde het alarmnummer, ging toen terug naar Sean en sloeg hem keihard in zijn gezicht.

'Beheers je. Ik moet gaan, ik kan hier niet blijven. Zeg maar tegen hen dat hij naar bed is gegaan en dat je hem zo aantrof toen je even bij hem ging kijken.'

Hij knikte, vroeg, 'En Gail? Wat moet ik tegen haar zeggen?'

Ik had geen flauw idee. Ik zei, 'Dat komt wel goed, blijf hier wachten en doe wat ik je heb gezegd.'

Ik maakte dat ik wegkwam. Ik hoorde een sirene. Halverwege de straat drong het tot me door dat ik de Glock nog altijd stevig vasthad. Ik zei bij mezelf, 'Eén dood, nog twee te gaan.'

Op weg naar huis kwam ik langs vijf pubs, twee slijterijen. Ze wenkten me uitnodigender dan ooit tevoren.

Ik liep door.

25

'De ware godsdienst zou ons over grootheid en ellende moeten leren, tot zelfrespect en zelfverachting moeten inspireren, tot zowel liefde als haat.'

Pascal, *Gedachten*, 450

Toen ik een paar dagen later naar het ochtendjournaal zat te luisteren, ving ik een bericht op over de dood van een Engelse ingezetene. Hij had een hartinfarct gehad, meldde de nieuwslezer, en was bij aankomst in het ziekenhuis al overleden. De Guards waren op zoek naar zijn zoon en dochter, die naar verluidde bij hem in huis hadden gewoond.

Fuck, wat had dat te betekenen?

Was Sean ertussenuit geknepen?

Was Gail niet thuisgekomen?

Wat was er verdomme aan de hand?

Ik belde Stewart, maar zijn gsm stond uit. Er kwam een akelige gedachte bij me op. Stel dat Stewart iets te zelfverzekerd was geweest en dat Gail hem uit de weg had geruimd?

Jezus.

Ze had in elk geval genoeg ervaring. En als een heuse jager voelde ze wanneer er gevaar dreigde. Ik had net bedacht dat ik naar Stewarts huis zou gaan, maar toen werd er op de deur geklopt. Ik aarzelde even, pakte de Glock, stopte deze in de rand van mijn broek. Deed de deur open.

Ridge.

Een heel opgefokte Ridge, die meteen van wal stak, 'Wat gebeurt er allemaal?'

Ze drong langs me heen naar binnen, bleef midden in mijn flat staan, de handen op haar heupen, een beschuldigende blik op haar gezicht.

Ik deed de deur weer dicht, keek haar aan, vroeg, 'Kun je misschien wat zachter praten?'

Dat deed ze niet.

Ze zei, 'Mitchell heeft een fatale hartaanval gehad, en nu is er een jonge vrouw van in de twintig op het strand aangespoeld, op het eerste gezicht zelfmoord.'

Ik moest even gaan zitten.

Gail?

Het pistool stootte tegen mijn ribben en ik haalde het tevoorschijn, legde het op tafel.

Ze staarde er ongelovig naar. Na een tijdje vroeg ze, 'Doe je de deur nu al gewapend open? Wie dacht je dat het was?'

Ik probeerde alles in het juiste perspectief te plaatsen.

'Jehova's getuigen of mormonen, ik kan die twee nooit uit elkaar houden.'

Ze zag eruit alsof ze me wilde slaan.

'Denk je echt dat je je er met een grapje vanaf kunt maken? Je zit er tot aan je nek in, hoor. Ik ken jou, dit vertoont alle kenmerken van een faliekant mislukte Taylor-actie.'

Ik voelde me opeens heel moe, zag al voor me hoe het zou worden geïnterpreteerd: de vader krijgt een hartaanval en de dochter, kapot van verdriet, verdrinkt zich. Heel goed mogelijk.

Ik zei, 'Je hebt me zelf verteld dat niet kon worden aangetoond dat dit gezin ook maar ergens bij betrokken was, dus heb ik mijn handen ervan afgetrokken.'

Ze was door het dolle heen van kwaadheid, wist niet goed wat ze met me aan moest, zei, 'Jij hebt je hele leven nog nooit je handen van iets afgetrokken.'

Ik wilde dat ze wegging, zodat ik kon nadenken.

Ik zei, 'Volgens mij begin ik het eindelijk te leren.

Ze wilde het pistool pakken en mijn hand schoot naar voren. 'Doe dat maar niet.'

Een volle minuut lang hielden we allebei het pistool vast, toen liet ze los en ze zei, 'Loos dat ding. Jij hebt nog nooit je toevlucht gezocht bij wapens, en als je ermee wordt betrapt, kan ik je niet beschermen.'

Ik was geroerd door haar woorden, *kan ik je niet beschermen*.

Ik durfde haar niet naar het onderzoek te vragen. Als ze de uitslag had ontvangen, zou ik dan met eventueel slecht nieuws kunnen omgaan? We bleven even staan, ieder van ons vol zorgen om de ander, ieder om een andere reden, en toch voorkwam een zekere mate van verwrongen koppigheid dat we elkaar de hand reikten, die vreselijke kloof overbrugden. Ik probeerde haar te vertellen dat Gail een paar dagen eerder in mijn appartement was geweest en dat ik het gevoel had dat ik mijn eigendommen moest verdedigen.

Ridge liet dit bezinken.

'Je bent geen schutter. Dat is niets voor jou, Jack.'

Ondanks ons lange gemeenschappelijke verleden waren er bepaalde dingen waar ze niets van afwist, dingen die ik had gedaan die ze nooit zou begrijpen en die ik haar nooit zou vertellen.

Ik beaamde dat ik het ding moest lozen, vroeg toen, 'Heb je al iets gehoord over de uitslag?'

Haar gezicht betrok, maar ze wist het te beperken.

'Nee, nog niet. Dat wachten is zwaar. Telkens wanneer de post wordt bezorgd, vraag je je af of er een brief bij zit die je hele leven op zijn kop zal zetten.'

Ik zei iets wat ik nooit had gedacht tegen haar te zullen zeggen, zei het op z'n Amerikaans om het luchtig te houden.

'Ik bescherm je wel.'

Bij God, heel even dacht ik echt dat ze zou gaan huilen.

Ze liep echter naar de deur, zei, 'Dat weet ik, Jack.'

Ik ging naar de kerk.

Als katholiek groei je op met het idee dat je daar veilig bent. Na alle recente schandalen was het er ongeveer net zo veilig als in de krochten van de hel. Ik ging naar binnen omdat het regende. Wandelde net langs de kathedraal toen de bui losbarstte. Geen milde, Ierse regen, maar een felle plaag van bijbelse proporties, een tot op het bot doorwekende hoosbui. De zijdeur zat op slot, wat een welkom, en tegen de tijd dat ik de hoofddeuren bereikte, was ik al kletsnat en mopperde ik, 'Shit en uien.'

Dat is een literaire verwijzing, James Joyces lievelingsuitdrukking, eerlijk en echt waar.

Ik stak mijn vingers in het wijwaterbakje. Het stond nota bene droog, en ik neem aan dat dát een soort oecumenische ironie is. Ik ging naar binnen, schudde de regen van mijn doorweekte kleren, en mompelde als een bezetene. Hield mezelf voor dat het goed was om er te zijn, kon ik meteen een kaarsje opsteken voor Cody, Serena May en al mijn andere doden. Ik hoopte maar dat er meer kaarsen waren dan wijwater.

Vroeger ging ik voor mijn kaarsjes altijd naar de augustijnenkerk, totdat daar de automatisering toesloeg. Precies, elektrische knoppen om een lampje aan te steken. Dat werkt dus niet voor mij, het gaat mij juist om het hele ritueel, lontje, de geur van was, de kaars vlam zien vatten. Ik put er troost uit, het geeft me het gevoel dat sommige dingen niet te koop zijn.

Ik stak een hele trits van die dingen aan, propte een stapeltje biljetten in het kistje, keek naar de brandende kaarsjes.

Hoorde een stem, 'Een kaars is als een gebed dat wordt opgezegd.' Ik draaide me om en zag een lange priester van eind zestig staan, met sneeuwwit haar en een gezicht dat niet zozeer gerimpeld als wel diep geplooid was. Hij was net een kerkelijke Clint Eastwood.

Ik vroeg, 'Gelooft u dat echt?'

Het kon me geen moer schelen wat hij geloofde, ik had het helemaal gehad met geestelijken.

Hij zei, 'Het is zeker een prettige gedachte, dat bent u toch wel met me eens?'

Ik was niet in de stemming om het met wie dan ook over wat dan ook eens te zijn.

'Volgens mij zijn het gewoon kaarsen.'

Hij dacht er even over na, overviel me toen compleet door te vragen, 'Hebt u trek in thee?'

'Is de kerk niet in de problemen gekomen doordat jullie luitjes mensen daarvoor uitnodigden?'

Hij nam het goed op, zei, 'Ik denk niet dat ik misbruik van u zal maken.'

Goed punt.

Voordat ik dat kon zeggen, ging hij verder, 'Ik drink gewoon niet graag in mijn eentje thee en ik dacht, aangezien u kletsnat bent, dat u misschien wel wilde meedoen.'

Ik hoorde de regen nog altijd op het dak roffelen, dus ik zei, 'Waarom ook niet?'
Hij ging me voor naar de sacristie, die een klein zijkamertje had. Hij deed de deur dicht, begon thee te zetten. Hij gebaarde dat ik moest gaan zitten, dus dat deed ik, op een harde stoel, ook al stond er een zachte, versleten leunstoel naast.

Hij vroeg, 'U kiest niet voor de gemakkelijkste van de twee?'

Priesters, hou ze in de gaten, want ze besluipen je onverhoeds met sluwe vragen.

Ik zei, 'Ik nam aan dat die van u was.'

Het water kookte, een vriendelijk geluid, heel zeldzaam voor mij.

Hij zei, 'Ik vermoed eigenlijk dat u meestal de ongemakkelijkste route kiest.'

Zie je wel, ik zei het net al, sluw.

Hij verwarmde de kopjes voor – dat zie je tegenwoordig niet vaak meer – pakte toen echte thee, Lipton nota bene, en legde wat Hobnob-biscuitjes op een schoteltje, van die koekjes die aan één kant met chocolade zijn bedekt. Ik weet niet waarom, maar daardoor mocht ik hem meteen. Hij zette de hele handel op tafel, spoorde me aan, 'Tast toe.'

Ik vroeg, 'Hoe moet ik u aanspreken?'

Hij veegde wat kruimels weg van zijn mond, stak zijn hand uit, zei, 'Ik denk niet dat u me met pastoor wilt aanspreken, dus zeg maar Jim. En u bent?'

'Jack Taylor.'

Zei hem niets, godzijdank. Hij schonk thee in en ik vroeg, 'Hoe gaan de zaken?'

Dat vond hij prachtig, hij nam even de tijd om ervan te genieten.

'We hebben wat problemen, maar ik ben optimistisch.'

Of dwaas.

Ik vroeg, 'Afgezien van al die... *problemen*... hoe zit het eigenlijk met die houding van jullie? Ik bedoel, de bobo's zijn net zo arrogant als altijd, komen nog steeds met nieuwe officiële verklaringen uit en hoe heet het ook alweer... verordeningen? Wat heeft dat te betekenen?'

Hij zuchtte diep, gaf toe, 'Het is moeilijk kromhouten rechten.'

Daar had hij gelijk in.

Hij had ook een vraag voor mij.

'Wat doe jij eigenlijk, Jack, behalve je uitleven met kaarsjes?'

Je uitleven, leuke uitdrukking.

'Ik bemoei me vooral niet met mijn eigen zaken, net als de kerk eigenlijk.'

Ik proefde de thee. Die was sterk, bitter, net als vroeger, maar smaakte in elk geval vertrouwd. Ik had nog een vraag.

'Wat is jouw mening over het kwaad?'

Hij keek me weer aan, nam me onderzoekend op.

'Vreemde vraag.'

'Is dat het antwoord?'

Hij glimlachte, zei, 'Ik probeer tijd te rekken.'

Ik wachtte, toen zei hij, 'Ik geloof dat het bestaat. Ik heb het gezien en gevoeld, en het lijkt helaas toe te nemen.'

Allejezus, dat had hij dan goed door.

Ik hield vol, 'Als je weet dat iemand slecht is, er geen verlossing meer mogelijk is, wat zou je dan doen?'

Hij hield zich aan de Schrift.

'Wij geloven dat iedereen kan worden gered.'

Mijn beurt om te glimlachen. 'Je komt zeker niet vaak buiten?'

Er galmde een bel en hij zei, 'De biecht, ik moet gaan. Misschien kunnen we dit gesprek een andere keer voortzetten.'

Ik stond op, zei, 'Wat staat er vandaag de dag eigenlijk voor? Drie weesgegroetjes en een Gloria Patri?'

Hij kneep hartelijk in mijn schouder, zei, 'Jij bent zeker al een tijd niet geweest?'

Ik zei, 'Ik heb laatst in Shop Street de duivel ontmoet.'

Dat verbaasde hem niet.

'Hij duikt vaak op in de commerciële sector. Hoe ging het met hem?'

'Slecht gebit.'

Dat vond hij wel geinig. We liepen naar buiten en ik zei, 'Hij wilde me de hand schudden.'

'En?'

Het was opgehouden met regenen. Ik liet mijn blik door de kerk glijden – het was er warm en ik had geen om zin weg te gaan, maar liep toch naar de deur, zei, 'Drie keer raden.'

Hij zei, 'Je moet de antichrist nooit onderschatten.'

Ik antwoordde dat ik dat zou onthouden.

Ik belde regelmatig naar Stewarts gsm. Ik was gek van bezorgdheid. Stel dat Gail hem ook uit de weg had geruimd? Ik was net Cody verloren, nog een dode jonge vent kon ik er nu niet bij hebben.

Bijna een week later nam hij eindelijk op. 'Ja?'

Ik was zo stomverbaasd hem te horen, dat ik even niets zei en hij herhaalde, 'Ja?'

'Waar heb jij verdomme gezeten?'

'Dat kan alleen Jack Taylor maar zijn. De vriendelijkheid druipt er werkelijk vanaf, Jack.'

Ik spuugde gal, was dus bijzonder kwaad, schreeuwde, 'Wat is er allemaal gaande? Hoe is het afgelopen met… je weet wel… en waar heb je verdomme gezeten?'

Als hij al onder de indruk was van mijn woede, wist hij dat heel goed te verbergen.

'Sorry, had niet begrepen dat ik verslag bij je moest uitbrengen. En waar ik heb gezeten? Ik ben op retraite geweest.'

Ik wilde hem vertellen hoe bezorgd ik was geweest, maar op dergelijke kwetsbare momenten bleven, net als bij Ridge, de woorden in mijn keel steken, en voor de duizendste keer vroeg ik mezelf af, *wat mankeert jou toch*?

'Retraite? Goddomme, man, wat houdt dat in?'

Zijn stem bleef laag en zacht. Hij zei, 'Mediteren met een zenmeester, leren hoe ik stil kan zijn. Zou bij jou trouwens ook geen kwaad kunnen.'

Ik was zo opgelucht dat hij nog leefde dat ik hem wel kon vermoorden. Ierser dan dat kan het toch niet? Ik probeerde mijn boosheid te onderdrukken. 'Ik moet je zien.'

Hij liet een lange stilte vallen.

'Moeten? Weet je, Jack, daarom is de wereld er zo verrekt slecht aan toe. Eigenlijk *moeten* we niets.'

Ik begreep dat hij, als hij deze shit volhield, weleens kon ophangen, nam me dus voor heel stil te zijn, of was het stiller?

Ik haalde diep adem. 'Kunnen we elkaar ergens ontmoeten?'

Ik hoorde een vermaakte klank in zijn stem. Hij zei, 'Kijk, je bent al een stuk rustiger. Voelt dat niet veel prettiger zo? Ik ben thuis, kom maar langs wanneer het jou schikt.'

Hufter.

Ik zei, 'Ben er over twintig minuten.'

'Ik zal er zijn.'

Ik overwoog de Glock mee te nemen en een kogel in zijn knie te jagen, eens zien hoe stil hij dan was.

Er waaide een ijskoude wind door de stad en er was natte sneeuw voorspeld. Ik rilde, maar weet niet zeker of dat door het weer kwam. Ik stond binnen tien minuten voor zijn deur, vastbesloten kalm te blijven. belde aan.

Hij nam rustig de tijd om open te doen, verscheen toen in de deuropening, zei, 'Jack, fijn je te zien.'

Liet me binnenkomen. Hij had een of andere wit judopak aan, daaronder waren zijn voeten bloot. Zijn huis zag er nog leger uit dan de vorige keer. Hij vroeg of ik thee wilde en ik zei nee. Hij gebaarde dat ik kon gaan zitten en liet zichzelf op de vloer zakken, nam de lotushouding aan, zijn gezicht ondoorgrondelijk.

Ik voelde nog altijd de behoefte hem tegen het hoofd te schoppen, maar kwam direct ter zake.

'Wat is er precies gebeurd?'

Hij bekeek me met een milde nieuwsgierigheid, alsof hij me voor het eerst zag.

'Je bedoelt in mondiale zin, op het wereldpodium? Daarmee kan ik je niet helpen. Mijn mening...'

Hij zweeg even, alsof hij het goede woord zocht.

'... is... *neutraler* geworden.'

Hij was gek, echt compleet geschift. Al zijn eerdere levenservaringen – de dood van zijn zus, de gevangenis – hadden hem er eindelijk onder gekregen en hij was doorgedraaid.

Ik telde tot tien, zei, 'Gail, jouw afspraakje met haar, ze blijkt te zijn... verdronken.'

Hij knikte, alsof hij dat al wist, maar het hem even was ontschoten.

Hij zei, 'Ze kon nergens anders meer naartoe. Het water werkte eigenlijk reinigend, nam haar mee, weg van alle kwellingen.'

Als hij had gezegd dat ze nu *stil* was, had ik hem helemaal in elkaar getremd.

'Heb je haar misschien een handje geholpen?'

Hij dacht hier even over na, alsof het iets vaag interessants was, niet echt meeslepend, maar wellicht toch een antwoord waard.

'Ach Jack, je trekt weer eens voorbarige conclusies, je bedenkt dat iets is zoals jij het graag wilt zien en past alles daaraan aan.'

Mijn geduld was bijna op. Ik tapte uit mijn reservevoorraad, probeerde een beetje verdraagzaamheid te vinden.

Noppes.

Niets meer.

Ik schoot overeind, greep hem vast bij zijn judohemd, trok hem met een ruk overeind, kwakte hem tegen de muur.

Keihard.

Zei, 'Afgelopen met dat zengezeik. Heb je haar vermoord?'

Zijn lichaam bleef ontspannen, hij reageerde niet op mijn gewelddadige gedrag, zei traag, 'Ik heb haar vrijdagavond gezien, weet je nog?'

Mijn vuist was gebald, klaar om hem een dreun te verkopen. Ik wilde het heel graag, grauwde, 'Ja. Nou en?'

Zijn stem was rustig, afgemeten, zoals je tegen een opstandig kind praat.

'Jack, ze is op zondagavond verdronken.'

Ik liet hem los, deed een stap achteruit zei, 'Wat?'

Hij streek zijn kleding glad, leunde tegen de muur.

'Je moet er echt beter op letten dat je over de juiste informatie beschikt, Jack. Op zondagavond was ik met vijftig andere mensen op retraite in Limerick.'

Ik wist niet wat ik ervan moest denken.

'Heeft ze zelfmoord gepleegd? Of heeft iemand haar een handje geholpen?'

Hij liep bij de muur weg, nam die achterlijke lotushouding weer aan.

'Je bent een speurder, dus ik zou zeggen… ga speuren.'
Ik begreep er geen snars van.
'Ik tast volledig in het duister.'
Hij glimlachte, zei, 'Dat is voor velen het werkelijke begin.'
Ik ging er als een speer vandoor voordat ik hem iets ernstigs kon aandoen.

26

'Mysterium iniquitatis.'
'Het mysterie van het kwaad.'
Apostel Paulus

Ik moest echt met iemand praten, om zo te proberen enig idee te krijgen wat er allemaal gaande was.

Gina had ervaring met psychologie, dus belde ik haar. Ze vond het kennelijk geweldig om iets van me te horen. Dat iemand het fijn vond mijn stem te horen, was verbijsterend. Ik klootte wat aan, was eindelijk zo ver dat ik haar mee uit eten vroeg, en sprak af dat ik haar zou ontmoeten bij een nieuw Mexicaans restaurant dat ze dolgraag eens wilde proberen.

Wat wist ik nou helemaal van Mexicaans eten af? Sprak mezelf bestraffend toe. Fuck nog aan toe, dit ging helemaal niet om eten.

Een uur voordat ik haar zou ontmoeten werd ik zenuwachtig, en mijn hart ging enorm tekeer. Was dit een... afspraakje?

Hoe moest je je in godsnaam gedragen, en erger nog, zonder alcohol? Het was al zo lang geleden dat ik het ritueel niet meer kende. En in de tijd dat ik nog wel met vrouwen uitging, goot ik gewoon een paar Jamesons naar binnen en dan kon het me geen moer meer schelen of de vrouw kwam opdagen of niet. Aan het eind van de avond hadden de meeste vrouwen spijt als haren op hun hoofd dat ze waren gekomen.

Ik had een colbertje aan, een beige broek, gemakkelijk zittende schoenen. Gemakkelijk staat gelijk aan oud. Ik overwoog om een stropdas om te doen, maar koos voor de openstaande kraag-versie, informeel maar cool. Bekeek mezelf in de spiegel. Ik zag eruit als zo'n verdacht type dat onroerend goed in Spanje probeert te slijten.

Het restaurant stond in Kirwan's Lane, op slechts een steenworp afstand van Quay Street. Mijn handen waren klam van het zweet. Gina stond buiten te wachten, gekleed in een donkerblauw colbertje, rok en pumps, en zag er fantastisch uit. Haar haren waren naar achteren gebonden en lieten haar krachtige gelaatstrekken bloot. Ik voelde me bedroevend onbeholpen. Ze gaf me een zoen op mijn wang en zei dat ik er goed uitzag. Ik had het graag op een lopen gezet.

Een kelner vertelde ons dat we tien minuten moesten wachten en mocht hij ons alvast een cocktail serveren? Doe maar meteen een hele emmer, knaap.

We namen plaats in de foyer. Gina had een vermout met spuitwater en inderdaad, ik een Pepsi. Wat een feest. Gina keek om zich heen naar de wit gestuukte muren, de cactussen, de schilderijen van het oude Mexico, en merkte op dat het allemaal erg authentiek was. Een stel naast ons zoop de ene tequila na de andere, inclusief zout, citroen, de hele rataplan, en vermaakte zich opperbest. Ik voelde me net een priester en erger dan dat kan het haast niet.

De drankjes werden gebracht en we brachten een toast uit.

Gina zei, 'Ik ben blij je te zien, Jack.'

Ik wilde meteen ter zake komen, opmerken, *moet je horen, ik wil je iets vragen wat betrekking heeft op je werk, kan dat nu meteen? Laat al dat beleefde gedoe alsjeblieft zitten, dan kan ik tenminste snel naar huis. Alleen.*

Bijzonder verontrustend was het feit dat ik me sterker tot haar voelde aangetrokken dan ik had verwacht. Ik had geen flauw idee hoe ik daar zonder een glas van het een of ander mee om moest gaan. In een wanhopige poging tijd te overbruggen vroeg ik haar naar haar werk en daarover sprak ze moeiteloos een tijdlang door. Ik probeerde geïnteresseerd te kijken. In mijn oren rinkelde het geluid van de fles tequila en inwendig voelde ik een enorme woede opwellen. Hoeveel glazen waren die ellendelingen eigenlijk van plan te drinken, verdomme? Hoefden ze soms niet meer te eten?

Ik ving nog net op dat Gina vroeg, 'Valt het je erg zwaar?'

Wat?

Ik glimlachte berustend, alsof ik me had neergelegd bij wat het lot me had toebedeeld.

Ze zei, 'Een gezellig avondje uit zonder alcohol, vind je dat heel erg?'

Medeleven, daar zat ik echt op te wachten, geweldig hoor.

Ik jokte, 'Nee, het is niet zo erg.'

De kelner kwam zeggen dat onze tafel klaar was en voorkwam zo dat ze hierop inging.

Ik liet Gina het eten bestellen en ze koos enchilidas, fritos, tapas, en een hele verzameling dips met een hete ondertoon. Ze zei dat zij een glas wijn wilde en voor mij mineraalwater.

We aten en spraken over neutrale onderwerpen. Ik wil best geloven dat het eten goed was. Gina zei dat het uitstekend was, maar ik vond het allemaal hetzelfde smaken.

Toen de borden waren weggehaald en we koffie voor ons hadden staan, vroeg ze, 'Wat scheelt eraan, Jack?'

Dat was de reden dat we hier zaten, dus vertelde ik haar over alle gebeurtenissen. Ze kon goed luisteren, onderbrak me alleen om te vragen of Sean alweer terecht was. Ik zag dat ze maar één slokje van haar wijn had genomen. Ja, ik hield het bij, dat doen alcoholisten. Ikzelf zou nu allang aan de derde fles bezig zijn.

Als, als, als.

Het viel niet mee.

Toen ik was uitgesproken, vroeg ze, 'Wat wil je nu dat ik doe, Jack?'

Ik verwoordde mijn antwoord zo zorgvuldig mogelijk, zei, 'Ik wil graag jouw mening over het gezin, en – dit is het moeilijkste – waar zou Sean volgens jou naartoe kunnen zijn?'

Ze stelde me eerst een aantal vragen, voornamelijk over Gail, en ik vertelde haar alles – mijn ontmoeting met haar op de begraafplaats, gevolgd door haar bezoek aan mijn flat, het gesprek dat ze met Stewart had gehad. Ik beschreef haar vader, Mitch, hoe ik hem had aangetroffen en wat volgens mij zijn rol in het geheel was.

Ze dacht tijdens de tweede koffieronde zwijgend na, zei toen, 'Jack, het is vrijwel onmogelijk een diagnose te stellen wanneer je de betrokkenen nooit zelf hebt ontmoet, en alles wat ik zeg is gebaseerd op vermoedens. Dat moet je in gedachten houden. Het is puur giswerk.' Ze glimlachte. 'Ik zal je een geheimpje verklappen: het meeste van wat wij doen is vaak op zijn best een schot in het duister, maar daar lopen we niet mee te koop.'

Ik verzekerde haar dat ik het niet verder zou vertellen en dat alle hulp, elk idee zo zou worden behandeld.

Ze schoof haar kopje opzij, boog zich naar voren en vroeg, 'Weet je wat een folie à deux is?'

Nee dus.

Ze legde het me uit.

'Het is een gedeelde psychotische aandoening. Als je twee zeer beschadigde individuen hebt die dezelfde psychotische overtuiging gaan koesteren, worden ze bijna één en dezelfde persoon, met hetzelfde vernietigende doel. Meestal is er één leider, en neemt de tweede persoon langzaam maar zeker alle waanvoorstellingen, haatgevoelens en grillen van de eerste over. Ze smelten samen, krijgen een zeer gewelddadige band, zoals de Hillside Stranglers in Amerika.'

Ik dacht even na, zei toen, 'Gail en haar vader.'

Ze knikte, benadrukte nogmaals dat het pure speculatie was.

Ik vroeg haar naar Sean.

Ze zei, 'Ik vermoed dat hij naar de plek terugkeert waar Gail is verdronken, daar waakt. Wat ga je met hem doen?'

Daar had ik nog niet echt over nagedacht, maar nu werd het me allemaal duidelijk.

'Als ik hem vind, laat ik hem gaan, zeg ik hem dat hij terug moet gaan naar Londen, daar een leven moet zien op te bouwen.'

Ze was verrast, ik zag het aan haar ogen, en ze vroeg, 'Hoezo, vind je dan niet dat hij moet boeten voor zijn aandeel in die vreselijke misdaden?'

Ik stond op het punt haar te vertellen over de verschrikkelijke fouten die ik in het verleden had begaan, toen ik mijn ziekelijke wraakzucht boven alles had gesteld en onschuldige mensen waren omgekomen. In plaats daarvan zei ik, 'Ik vind dat er wel genoeg doden zijn gevallen.'

De kelner bracht de rekening en ik betaalde.

Buiten hield ik een taxi aan en ik zei, 'Gina, ik ben je ontzettend dankbaar.'

Ze reageerde geamuseerd. 'Ik heb zo het idee dat ik alleen naar huis ga.'

Ik mompelde een hele waslijst van flauwekuldingen, dat we elkaar binnenkort weer zouden zien en dat ze me geweldig had geholpen.

Gezwets.

De taxi reed voor en ik hield het portier open. Ze staarde me een tijdlang aan, zei toen, 'Tot ziens, Jack.'

Ik had iets moeten zeggen, roepen dat het zo niet zat, dat ik haar echt snel zou bellen. Ze schonk me een triest lachje en de taxi vertrok.

Ik liep Quay Street in, en hield mezelf voor dat ik haar zou bellen, ja natuurlijk zou ik dat doen. Als ik het maar vaak genoeg zei, ging ik het misschien wel geloven ook.

Ik maakte er een gewoonte van elke avond langs de boulevard te lopen. Gail was om tien uur 's avonds uit het water gehaald, dus daar richtte ik me op. Ergens beschouwde ik dit als pure dwaasheid. Stel dat hij zich nooit vertoonde? Zei bij mezelf, *zo kom je in elk geval nog eens buiten, krijg je wat beweging*. Het was in elk geval goed voor mijn manke poot. Haar lichaam was bij Blackrock aangespoeld. In vroeger tijden mochten daar alleen maar mannen zwemmen. Dat was inmiddels veranderd en ook vrouwen konden nu gebruik maken van de faciliteiten.

Op de meeste avonden zag ik op het strand tieners Buckfast drinken, met de verplichte fles wodka ernaast die het hele idee van *straalbezopen* worden van extra kleur voorzag.
In mijn tienerjaren was het een flacon cider geweest, met zijn vijven gedeeld, en een pakje Woodbine. Drugs kenden we toen nog niet. De nieuwe generatie had bergen drugs tot haar beschikking, van xtc en coke tot crack. Methamfetaminen waren in grote hoeveelheden opgedoken. Ik had met een van de meisjes gesproken en zij vertelde me hoe het zat: helemaal geen langzame aanloop, en dan steeds iets vrolijker worden, een overgangsritueel; hun enige doel was high te worden, en wel zo snel mogelijk. Geen tijd ertussen, geen periode van dwaas gegiechel, het ging er puur om zo snel mogelijk compleet uit je bol te gaan.

Ik had gevraagd, 'Waarom?'

Stom, hè? En oud; fuck, ja man.

Ze had me een blik vol verachting vermengd met een glimp van medelijden toegeworpen en gezegd, 'Omdat het leven klote is.'

Ze had zo van Miami Beach kunnen komen of elk willekeurig Amerikaans corpsfeest. De overheid probeerde grip te krijgen op de epidemie aan tienerzwangerschappen, seksueel overdraagbare aandoeningen, en ik dacht bij mezelf, *één avond aan zee en het hele verhaal was hen in één klap duidelijk geworden.*

Ik dacht veel aan Cody: zijn wilde, ergerlijke hang naar het leven, zijn vastberadenheid om privédetective te worden en hoe hij door mijn handelswijze het leven had gelaten. De last daarvan was soms meer dan ik kon verdragen. Op dergelijke momenten liep ik, ondanks mijn manke poot, als een man die probeerde zijn gedachten te ontvluchten.

Er ging een week voorbij, maar geen Sean, en ik werd overvallen door twijfel. Was het hele plan een zinloze onderneming? Ik hield vol. Ik had in elk geval baat bij de wandeling. Ik werd altijd rustig van de aanblik van de oceaan. En allejezus nog aan toe, ik kon alle hulp goed gebruiken. Tijdens deze wandelingen dacht ik voornamelijk aan alle mensen die ik had gekend en vroeg ik me af waarom ik nog steeds op aarde rondliep.

Na tien dagen liep ik Jeff tegen het lijf.

Ik was ervan overtuigd geraakt dat hij van de aardbodem was verdwenen en ik hem nooit terug zou zien. Hij was een fantastische vriend geweest, totdat ik zijn dochter te pletter liet vallen en hij zijn toevlucht zocht in alcohol, en de laatste keer dat iemand hem zag was hij dakloos. Zijn vrouw, Cathy, was degene die Cody had doodgeschoten. Ze wist dat Cody een soort surrogaatzoon voor me was. Misschien verklaarde dat wel waarom ik nooit achter haar aan was gegaan vanwege de schietpartij.

Oog om oog.

Ik had haar dochter gedood, zij doodde mijn zoon.

Eerlijke ruil?

Toen ik op de tiende dag van mijn zoektocht aan het eind van de wandeling rechtsomkeert maakte om naar huis te gaan, ontdekte ik dat een man op een bankje naar me zat staren, en eenmaal dichterbij herkende ik hem.

Jeff.

Eerst dacht ik dat mijn ogen me voor de gek hielden. Kort geleden nog had ik in de straten van de stad regelmatig iemand zien lopen die sprekend op hem leek. Dit was echter geen hersenschim, hij was het echt, het lange grijze haar in een paardenstaart, een lange leren jas aan en zijn ogen die zich in de mijne boorden. Hij stond op en ik wist niet of hij me zou aanvallen. Tijdens onze laatste ontmoeting had hij me in mijn gezicht gespuugd.
Ik bleef op vijf stappen afstand van hem staan, trillend over mijn hele lijf.

Hij zei, 'Ik hoorde dat je hier wandelde, elke avond om dezelfde tijd.'

Ik vroeg niet wie hem dat had verteld.

Hoe begroet je een man wiens leven je hebt verwoest? *Leuk je weer te zien* is niet echt passend. Hij zag er goed uit, zeker in vergelijking met de laatste keer dat ik hem had gezien, een dronkenlap met doodse ogen op een bankje in het park. Zijn ogen stonden nu helder, hard maar helder. Hoog op zijn voorhoofd zat een nieuw litteken. Als je op straat woont, hoort dat erbij. Zijn kleren waren schoon en hoewel hij zichtbaar ouder oogde, zag hij er goed uit. Zijn handen had hij diep in zijn zakken gestoken en ik verloor ze geen seconde uit het oog.

'Nog steeds detective aan het spelen, Jack?'

Ik vond eindelijk mijn stem terug. 'Dat is het enige wat ik kan.'

Hij keek naar de oceaan, zei, 'Je vernielt dus nog steeds het leven van anderen?'

Niets tegen in te brengen.

Hij zuchtte, zei, 'De Guards zijn op zoek naar Cathy, in verband met die schietpartij.'

Ik zei dat ik dat had gehoord en hij vroeg, 'En jij, Jack, zoek jij haar ook nog steeds?'

Zijn stem klonk vlak, alsof het er niet toe deed.

'Nee, ik heb haar al genoeg verdriet bezorgd.'

Hij deed een stap in mijn richting en ik moest mezelf dwingen om te blijven staan.

Hij vroeg, 'Denk je dat jullie nu quitte staan? Is dat wat je denkt, Jack?'

Het gebruik van mijn naam voelde als een dolkstoot aan. Telkens wanneer ik de steek voelde, zei ik, 'Nee, ik geloof niet dat we ooit... *quitte zullen staan.*'

Hij stond nu pal voor me, snauwde, 'Als je dat maar weet, makker.'

Toen deed hij een paar stappen achteruit. Ik had graag gehad dat hij me een knal voor mijn harsens had verkocht, dat was stukken gemakkelijker geweest.

Hij vroeg nogmaals, alsof hij het in bloed geschreven wilde zien, 'Ga je achter Cathy aan?'

'Nee, dat doe ik niet.'

Ik wilde weten hoe hij het rechte pad had teruggevonden, hoe hij zichzelf van het straatleven had gered, maar kon de juiste woorden niet vinden.

Hij staarde me aan alsof hij probeerde te ontdekken wie ik was, zei toen, 'Ik hield van je, man.'

En hij liep weg.

Het gebruik van de verleden tijd sneed dwars door mijn ziel.

27

Verraad

Drie avonden later vond ik Sean. Zoals inmiddels mijn vaste gewoonte was, wandelde ik langs de boulevard. Het was iets later dan mijn gebruikelijke tijdstip en het werd al donker. Ik was tot aan Blackrock gelopen, wilde me al omdraaien om naar huis te gaan en wierp nog een laatste blik op de oceaan. Helemaal beneden, tussen de rotsen aan de rand van het water, een eenzame gedaante. Ik had hem bijna niet gezien. Ik haalde diep adem en zocht een weg naar beneden. Hij zat op een strook zand een stickie te roken, boven zijn hoofd hing een piepkleine rookwolk.

Voordat ik iets kon zeggen, merkte hij op, 'Vroeg me al af wanneer je zou opduiken.'

Ik bleef rechts van hem staan, ving de sterke geur van marihuana op. Ik had verwacht dat hij er als een zwerver bij zou lopen, er slecht aan toe zou zijn.

Mispoes.

Hij was het toonbeeld van gezondheid en voorspoed, in een nieuwe dikke jas en een nieuwe vale spijkerbroek. Zijn haar was geknipt en zijn ogen glansden. Hij bood me de sigaret aan.

'Dank je, niets voor mij.'

Dat vond hij grappig en hij keek me aan. Hij speelde met de kralen van de rozenkrans die hij om zijn pols droeg.

Hij zei, 'Nadat ze mijn vader hadden opgehaald, ben ik teruggegaan naar huis, en tot mijn stomme verbazing vond ik daar een hele stapel geld. Dus ben ik ook gaan zoeken in Gails kamer, vond daar nog een hele voorraad. Daar hadden ze mij niets over verteld. Niet te geloven toch?'

Daar moest ik even over nadenken en het drong langzaam maar zeker tot me door dat ik er helemaal naast had gezeten met mijn lezing van Gails dood.

'Wat zal jij kwaad zijn geweest.'

Hij lachte, zei, 'Taylor, ik was al mijn hele leven kwaad op hen.' Hij gebruikte bewust mijn achternaam, om aan te geven dat de regels waren veranderd.

Nou, en of ze waren veranderd.

Hij mikte de peuk in het water. Hij doofde zacht sputterend, net als het eind van een treurig, waardeloos gebed, zo'n gebed dat je voor jezelf zegt.

Hij zei, 'Ze hadden het verzekeringsgeld van mijn moeder opgestreken zonder mij daar ooit iets over te vertellen, en ik, stomme sukkel, maar denken dat het geld op was. Onze tíjd zat erop, dát was het probleem. Dat wil zeggen, hún tijd.'

Ik vroeg, 'Je was dus thuis toen Gail terugkwam?'

Hij rekte zich uit, alsof hij zich stierlijk verveelde, zei, 'Inderdaad. Ik vertelde haar dat die lieve oude paps het hoekje om was en dat het haar schuld was. Ze schrok zich wezenloos en toen, heel gek, eigenlijk het allergekste van alle verdomde gebeurtenissen tijdens deze gestoorde reis, trok ze zich terug.'

Ik begreep niet goed wat hij bedoelde, echode, 'Ze trok zich terug?'

Hij keek me aan, vroeg, 'Ben je soms doof of zo?' Lachte, zei, 'Oeps, het gehoorapparaat. Ja, ze werd weer precies zoals ze direct na mama's dood was – een plantje. Trok zich terug op de plek waar ze eerder ook was geweest, waar dat ook was, en ik dacht dat ze deze keer echt niet zou terugkomen. Enkele reis, snap je wel?'

Ik begreep het. De twee dominante persoonlijkheden in zijn leven waren verdwenen en in plaats van in te storten had hij de eigenschappen van beiden overgenomen.

'Wat heb je met haar gedaan?'

Hij antwoordde niet meteen, alsof hij nadacht of hij het me zou vertellen, zei toen, 'Ik heb haar laten zwemmen.'

En toen giechelde hij, echt een verschrikkelijk geluid. Ik hield mezelf voor dat het de marihuana was, hoopte het tenminste maar.

Hij ging verder, 'Het maffe was, dit moet je horen, ze vergat helemaal dat ze niet kon zwemmen. En weet je, dat idiote wijf, ze vroeg steeds of ik de vlammen zag. Die heb ik voor haar gedoofd.'

Ik dacht aan de Glock, die knus en nutteloos in de bovenste lade van mijn kast lag.

Hij zei, 'Goed, Jack, wat zeg je ervan, ga je dit door de vingers zien? Je kunt gewoon weglopen, dan vergeten we dat we dit gesprek ooit hebben gevoerd.'

Hij mat me letterlijk met zijn ogen op, en helaas wist ik precies wat hij zag: een versleten man van middelbare leeftijd met een manke poot en een gehoorapparaat. Als ik nu zei dat ik dit niet door de vingers kon zien, kon het nooit moeilijk voor hem zijn om met me... *af te rekenen*. Hij was sterk, jong, had niets te verliezen. Hij had zijn eigen zus verdronken, een jonge man gekruisigd, een hulpeloos meisje in haar eigen auto verbrand. Wat zou hij zich dan druk maken om mij?

Ik zei, 'Als – en dat is een heel grote áls – ik wegloop, wat ga je dan doen?'

Hij keek verbaasd en tot mijn afschuw herkende ik de uitdrukking op zijn gezicht. Het was precies dezelfde als die van Gail, en één griezelig ogenblik lang vroeg ik me af of het kwaad op die manier kan worden overgedragen. Hij kwam heel dicht bij me staan. Was het mijn verbeelding of waren zijn schouders breder geworden? Wat was er gebeurd met de ongevaarlijke, Kurt Cobain-achtige knul die ik in het cafeetje had ontmoet?

Er krulde een spottend lachje om zijn lippen en hij zei, 'Hmmm, goede vraag, Jack-o. Zal ik je eens wat zeggen? Ik heb het hier eigenlijk best naar mijn zin, maar wat ik minder prettig vind is het idee dat jij hier rondscharrelt, misschien opeens wel last krijgt van je – hoe noemen jullie katholieken dat ook alweer? – geweten?'

Hij haalde plotseling uit met zijn rechtervuist, waardoor ik op mijn rug belandde. Hij liep om me heen totdat hij bij mijn hoofd stond. Ik zag dat hij Dr. Martens aanhad, tamelijk versleten exemplaren, en ik hoopte bij God maar dat ze geen stalen neuzen hadden. Mijn kaak deed verdomd veel pijn en ik begreep dat hij van plan was me te doden, maar geen haast had. Hij had de mooiste, sterkste drijfveer van de hele wereld ontdekt – macht. Ik probeerde een stukje bij hem vandaan te schuiven en hij schopte me tegen mijn achterhoofd.

Keihard.

Ik zag sterretjes. Niet van die stralende, maar van het soort dat je duidelijk maakt dat je echt heel diep in de nesten zit en dat het er voorlopig niet beter op gaat worden.

Hij vroeg, alsof het hem ook maar iets kon schelen, 'Doet dat pijn, Jack?'

Toen nog twee snelle trappen in mijn zij en tegen mijn borst, en ik voelde iets breken – een rib, wellicht. Mijn ademhaling klonk gejaagd.

Hij zei, nog altijd op die vriendelijke, keuvelende toon, 'Ik heb me vaak afgevraagd hoe het aanvoelt om iemand helemaal verrot te schoppen. Mijn hele leven lang ben ik degene geweest die werd geschopt, en zal ik je eens wat zeggen? Zal ik je eens wat zeggen, Jack-o? Het is best cool, om met de Amerikanen te spreken.'

Ik schrok opeens wakker. Amerika... mijn nieuwe leven, Ridges onderzoek, dat ik er straks niet voor haar zou zijn, en dat allemaal door deze – snotaap?

Ik kreunde, 'Sean, één ding nog.'

Hij aarzelde, en ik praatte zo zacht dat hij zich over me heen moest bukken. Hij verstond me nog steeds niet en boog zich nog dieper voorover. Zijn gezicht hing nu vlak voor het mijne, ik rook de knoflook op zijn adem. Ik zette mijn tanden in zijn neus, hapte met alle kracht die ik in me had, en ik zweer bij Christus dat ik er dwars doorheen beet.

Hij wankelde achteruit, zijn hele gezicht onder het bloed, riep, 'Fuck man, wat doe je nou? Je hebt me gebeten!'

Ik hees mezelf overeind tot ik op één knie zat, zag een stuk drijfhout liggen, hoopte dat het niet zacht was geworden in het water.

Nee dus.

Ik gaf hem een knal tegen zijn kop, zei, 'Waag het niet me nog één keer Jack-o te noemen.'

Nog een paar flinke tikken, uit onvervalste razernij, en zijn gezicht en hoofd waren tot moes geslagen.

Ik mompelde, 'We moeten je niet in onze stad, we hebben van onszelf al genoeg troep. Hoe denk je anders dat we de wedstrijd voor de schoonste stad gaan winnen?'

Was ik gek geworden? Ik hoop het maar.

Ik verzamelde een paar stenen, een heleboel zware, stopte ze in de zakken van zijn hippe, nieuwe jas en sleurde hem het water in. Tot mijn grote afschuw kreunde hij en ik weet het niet helemaal zeker, maar het klonk als, 'Alsjeblieft, pa, niet doen.'

Het duurde even, maar uiteindelijk verzette hij zich niet meer. Ik nam hem een heel eind mee het water in, zo ver als mogelijk was zonder zelf kopje onder te gaan. Het was koud. Door de hoeveelheid stenen in zijn zakken viel het niet mee en ik gaf het bijna op, maar ik wilde zeker weten dat hij niet meer boven zou komen. Toen ik ervan overtuigd was dat hij onder water bleef, haalde ik diep adem en dook ik omlaag, waar zijn ogen me licht verwijtend aanstaarden, en voegde ik nog meer stenen toe van de bodem van de zee. Ik voelde dat een langzame verdoving me bekroop, die fluisterde, 'Rust maar uit, laat het water je kalmeren.'

De verleiding was enorm, maar met een uiterste krachtsinspanning legde ik de laatste steen op zijn lichaam en zwom ik naar boven, waar ik naar adem hapte. Ik zag hoe ver ik uit de kust was geraakt en wist niet zeker of ik de wal wel zou halen, maar mompelde, 'Ophouden met zeiken en gewoon dóén.'

Ik kroop uit het water en de aandrang om te blijven liggen was heel sterk, maar ik spoorde mezelf aan in beweging te blijven. De pijn in mijn hoofd, borst en zij waren niet te harden. Ik slikte een handvol van Stewarts pillen in, liep verder.

Pas toen ik al bijna thuis was merkte ik dat er iets van Sean aan mijn jack was blijven hangen: de rozenkrans die hij als armband had gedragen. Er hing een klein kruisje aan.

Ik liep net langs een vuilnisbak, mikte het hele geval erin.

Ik had het helemaal gehad met kruisen.

28

Een bijna gelukte ontsnappingspo-ging

De maandag daarop kwam een man van in de twintig de flat bekijken en de verkoop bekrachtigen. Hij voerde een grondige inspectie uit, klopte zelfs op de muren. Hij vertegenwoordigde een zakenman die Flanagan heette.

Hij zei, 'Meneer Taylor, ik voorzie geen problemen. We zullen de flat uiteraard nog door onze bouwkundige laten onderzoeken, maar volgens mij komen we er wel uit. Ik ben bereid u alvast een cheque te geven met de aanbetaling.'

Dit was het dus, het moment van de waarheid, en ik schrok ervoor terug. Wilde ik dit echt doorzetten? Mijn tickets voor Amerika waren een paar dagen eerder gearriveerd en ik had ze in een lade gepropt. Het bedrag dat voor het appartement werd neergeteld, overweldigde me, maar het hield tevens in dat ik dakloos zou zijn.

Ik vroeg aan de man, 'Wat gaat meneer Flanagan ermee doen?'

Dat vond hij kennelijk een rare vraag.

'Wat kan u dat nu schelen?'

Toch wilde ik het weten.

Mevrouw Bailey, mijn vroegere huisbazin, trouwe vriendin en steun en toeverlaat, had de flat aan me nagelaten.

Ik keek de man aan en hij zei, 'Tja, hij heeft een zoon die oud genoeg is om binnenkort te gaan studeren, dus misschien houdt hij de flat wel voor hem aan, of anders misschien als pied-à-terre om af en toe in te overnachten. Met vastgoed in het centrum van de stad zit je altijd goed.'

Dat zat me enorm dwars.

Hij merkte mijn onrust op.

'U wilt de woning toch wel verkopen, meneer Taylor?'

Ik zei, 'Ja hoor, tuurlijk.'

En werkte hem de deur uit.

Ik ging gebukt onder een droefheid, een melancholie die net zo'n loden last vormde als de stenen waarmee ik Sean had verzwaard.

Mijn paspoort was vernieuwd en op de foto zag ik eruit als een vluchtige schim. Ik hoefde niets weg te gooien. Gail had mijn boeken verbrand en de meeste schepen had ik zelf al achter me verbrand. Afscheid nemen… ach, ik had aan een minuut of twee wel genoeg. Ik was rusteloos, verliet de flat, wandelde de stad in, vroeg mezelf, 'Ga je dit missen?'

Ik wist het niet.

Ik ging een cafeetje in. Wist dat ik, als ik naar een pub ging, beslist iets zou drinken en dat zou een eind maken aan al mijn reisproblemen. Ik bestelde een koffie verkeerd en verjoeg alle gedachten aan de recente gebeurtenissen uit mijn hoofd. Toen mijn koffie werd gebracht, arriveerde Stewart. Hij vroeg of hij erbij kon komen zitten, en ik vroeg de serveerster hem een kruidenthee te brengen. Hij had een zakenpak aan, duur overhemd en stropdas. Wanneer je je hele leven lang goedkope spullen hebt gekocht, weet je echt wel wat kwaliteit is. Hij voelde zich zo te zien volledig op zijn gemak.

Hij zei, 'Zo, Jack, heb je Sean nog gevonden?'

Rond zijn mondhoeken speelde een glimlachje.

Ik zei, 'Nee, geen geluk gehad.'

Hij bedankte de serveerster voor de thee, zei toen, 'Zal wel naar Londen zijn teruggegaan, denk je ook niet?'

'Ik zou het je echt niet kunnen zeggen.'

Om het gesprek op een ander onderwerp te brengen, vertelde ik hem over de verkoop van mijn flat en mijn emigratieplannen. Hij vroeg wie mijn huis had gekocht.

Toen ik het hem vertelde, fronste hij zijn wenkbrauwen.

'Wat is er?' vroeg ik.

'Het verbaast me een beetje van jou, Jack, als voorvechter van het oude Galway, bewaker van de Keltische vlam, al het goede des levens. Die vent, Flanagan, is een speculant. Hij laat je flat ombouwen tot eenkamerappartementen, en verhuurt die vervolgens aan drie niet-Ierse gezinnen.'

Ik voelde me murw vanbinnen, hij had een gevoelige plek geraakt. Ik wist dat mevrouw Bailey dat zeker niet zou hebben gewild. Ze had de pest aan hebzucht en meedogenloosheid, en hier zat ik dan, exponent van het nieuwe Ierland.

Ik probeerde, 'Drie eenkamerwoningen? Je kunt in mijn flat nog geen kat in de rondte slingeren.'

Hij glimlachte. 'Ik denk ook niet dat huisdieren zijn toegestaan.'

Toen zei hij, 'Ik heb je in de gaten gehouden. Het is me opgevallen dat je bent gestopt met je avondwandeling.'

Ik voelde mijn hartslag versnellen.

'Ben je me gevolgd? Waarom?'

'Ik sta bij je in het krijt, Jack, ik moet ervoor zorgen dat je veilig bent.'

Ik dempte mijn stem, zei, 'Stop ermee, begrepen?'

Ik stond op, legde een paar biljetten op de tafel.

Hij vroeg, 'Was het water koud?'

Ik verstijfde. Weer zo'n moment van totale stilte, en toen schoot Ridge door mijn hoofd, en ja inderdaad, ook door mijn hart.

Ik vertrok.

Mompelde, 'Niet nadenken, gewoon doorlopen.'

Buiten voor The Body Shop stond een straatmuzikant die een fraaie versie van 'Crazy' ten gehore bracht. Ik bleef staan luisteren tot hij klaar was, verzamelde al mijn muntgeld bij elkaar en gooide het in de pet die voor hem lag.

Hij bekeek de munten, telde ze op, zei, 'Fuck, wat moet dat?'

Ik zei, 'Dat is alles wat ik heb.'

Hij was kwaad. 'Je krijgt een liveversie van mijn act te zien en dat is alles wat het volgens jou waard is?'

Ik moest mezelf inhouden. Bekvechten met een straatmuzikant was een strijd die niemand kon winnen. Ik zei, 'Een fijne dag nog.'

Hij schreeuwde, 'Ja hoor, met al dat geld koop ik misschien wel een nieuwe auto.'

Het hielp ook niet echt dat hij een Brits accent had.

Het beantwoordde mijn vraag van eerder of ik Galway zou missen.

In de dagen die erop volgden rondde ik de voorbereiding van mijn reis af. Ik moest naar mijn advocaat, de verkoopakte ondertekenen, ik had geregeld dat het geld naar Amerika zou worden overgemaakt zodra het was gestort. Ik had één koffer ingepakt. Toen ik hem in de gang zag staan, klaar voor vertrek, oogde hij verrekte eenzaam, de restanten van een vergooid leven.

Ik ging naar de begraafplaats om mijn doden gedag te zeggen. Het was te laat om spijt te betuigen. Het was opgehouden met regenen en een speels zonnetje kroop stiekem langs de hemel. Ik liep tussen de grafzerken door, en nadat ik mijn ontoereikende woorden had gericht tot degenen die ik liefhad, besloot ik ook de graven van Maria en haar broer op te zoeken, en ik vroeg me bij mezelf af, *heb ik hun gerechtigheid geschonken?*

Er stond een jonge man bij de recent omgewoelde klei en zijn gelijkenis met Maria was griezelig.

Ik liep naar hem toe, zei, 'Rory?'

Hij schrok niet. Ik neem aan dat hij, na wat zijn familie was overkomen, de shock voorbij was. Hij keek me aan, zijn ogen nat, tranen op zijn wangen. Hij zuchtte, vroeg, 'Bent u van de Guards?'

Spijtig genoeg niet meer.

Ik zei, 'Ik was een vriend van je zus.'

Hij was nog jong, maar zijn lichaam had iets ouds dat helemaal niets te maken had met het verstrijken van tijd en alles met gruwelijke gebeurtenissen.

Ik vroeg, 'Waarom ben je zo lang weggebleven?'

Hij had er geen antwoord op, vroeg, 'Heeft Maria je het hele verhaal verteld?'

Ik wist niet goed hoe ik daarop moest reageren, zei dus, 'Ik zou het graag van jou horen.'

Hij knikte, alsof dat alleen maar eerlijk was. 'Die auto die mevrouw Mitchell heeft gedood?'

Hij doelde op het auto-ongeluk waarna de bestuurder was doorgereden, het voorval dat dit allemaal in gang had gezet.

Ik zei, 'Wees een vent. Na alles wat er is gebeurd, zou je op zijn minst de verantwoordelijkheid op je kunnen nemen.'

Hij liet zijn hoofd zakken. 'Dat heb ik gedaan. Mijn vriendin reed en ze had al twee ernstige verkeersovertredingen op haar naam staan, dus zei ik dat ik achter het stuur had gezeten. En toen ben ik ervandoor gegaan.'

Jezus Christus.

Ik overwoog of ik hem zou vertellen dat zijn leugen zijn eigen familie en ook anderen het leven had gekost. Toen dacht ik, *fuck, laat ook maar*, en ik liep weg.

Hij schreeuwde, 'Ga je me nu verraden?'

Ik gaf geen antwoord.

Toen ik op de ochtend van mijn vertrek de stekker van de telefoon er uit wilde trekken, ging het ding over. Ik had nog heel even voordat de taxi me naar het vliegveld zou brengen, dus ik nam op.

'Jack?'

Ridge.

Ik had geen afscheid van haar genomen.

Ik zei, 'Ja?'

Ze haalde diep adem. Ik hoorde dat ze had gehuild. 'Jack, ik heb je hulp nodig.'

Ik moest aan *Terms of Endearment* denken. Jack Nicholson die op het vliegveld staat, met die unieke glimlach van hem, en verzucht dat zijn ontsnappingspoging bijna was gelukt.

Ik ging met een bonzend hart op mijn koffer zitten en voor het eerst in mijn leven sprak ik haar aan met een koosnaam.

'Wat er is, lieverd?'

'De biopsie, het is kwaadaardig.'

Het kwam vast door het zonlicht dat naar binnen scheen. Ik veegde mijn ogen af, mijn wangen waren nat.

Lees van dezelfde auteur ook *Priester*!

Jack Taylor, een gewelddadige, door schuld gedreven, ex-politieagent is net ontslagen uit het psychiatrisch ziekenhuis. Getraumatiseerd omdat hij de dood van een kind heeft veroorzaakt, gelooft hij niet dat er nog hoop voor hem is. Dan wordt er een priester onthoofd aangetroffen in een biechtstoel in Galway, een gebeurtenis die zelfs de meest goddeloze burger schokt. Taylor wordt gevraagd de moordenaar te vinden. Ierland moderniseert in snel tempo en de kerk, getroffen door allerlei schandalen, wankelt op haar grondvesten. Al gauw wordt Taylor meegesleurd in een duister web van moordzuchtige samenzweringen. Wat hij niet weet is dat het echte gevaar dichter bij huis ligt en veel persoonlijker is dan hij zich had kunnen voorstellen...

ISBN 978 90 7427 446 3

'Johnny Cash zingt "fuckin killer lyrics", volgens Ken Bruen, die acht jaar poëzie schreef, voor hij zijn fantastische gevoel voor taal en verhaal losliet op onvervalste "fuckin killer fictie"'.

* * * * DE VOLKSKRANT

'Ken Bruen heeft met Priester een opmerkelijke hard-boiled misdaadroman afgeleverd. Priester ontroert, choqueert, heeft humor en is schrijnend. Ken Bruen gaat onder je huid zitten.'

* * * * * MISDAADROMANS.NL

'Priester is geen doorsnee thriller, alleen al door de onconventionele schrijfstijl, dat het verhaal vertelt in één gedachtestroom, of misschien beter uitgedrukt: een emotiestroom vol woede, cynisme, humor, en flarden van hoop.'

AFRA BOTMAN, TROUW

Een hard, maar zeer veelbelovend staaltje Irish noir'

**** VN THRILLERGIDS